JN076195

お節介オバチャンの“職場のシンドイ”一刀両断!!

Clover
クローバー出版

推薦の辞

私は東京都葛飾区にあります、かつしか心身総合クリニックで心療内科診療ならびに約30社の産業医を行っております。

著者の渡部さんとは、某大手企業で産業医・産業カウンセラーとして10年以上、ご一緒させて頂きました。

渡部さんは、何と言ってもフットワークの軽さが特筆すべきところです。全国に約300程の営業所がありましたが従業員に何か問題が生じるとすぐさま飛びたち会いに行きます。

そして、心温まるカウンセリングで相手の気持ちをほぐし、ストレス測定機器も駆使し、綿密な分析を行い、すぐに報告を頂いておりました。

また、本の中でも御本人自ら「お節介オバチャン」と言っておられますがカウンセリングの結果、精神疾患が疑われ、医療機関受診に踏み切れない人がいると、その方を優しく説得しながら一緒に同行されるのです。

またカウンセリングが完結し、問題が解決した社員においても、折をみてフォローの電話やメールをされるなど相手に寄り添うというのは、こういうことなのだと教えて頂き、本当に頭が下がる思いです。

本書は20の実例を通して、管理職の方が部下に行うメンタルヘルスの良い対応、悪い対応などが書かれていますが産業医の私から見ても、鋭い観点で流石と感服致しました。

本書は職場が舞台ではありますが、管理職の方のみならず、学校の先生や親御さん、医師や保健師などの産業保健スタッフにも参考になることが多く、ぜひ精読をお勧めしたい一書です。

相手のこころを見ることは、自分のこころを見ることにも繋がります。本書との出会いでその思いをより一層、強く感じた次第です。

かつしか心身総合クリニック院長
帝京大学医学部　医学教育センター　臨床准教授
大川　昭宏

OPEN

MAEGAKI

まえがき

この本を手にしてくださったみなさま、こんにちは！
関心を持っていただき、本当にありがとうございます。

これは、私が当時勤めていた会社の中で「健康相談センター」を立ち上げ、**「お節介オバチャン」**として300以上の全国の営業所を巡回し、全員カウンセリングをしていた頃の話を基に書きました。

お節介オバチャンは、全国へのカウンセリング巡回を始めた矢先に、左膝を痛めてしまい、手術で1週間入院しました。退院後、膝をかばいながら出張を再開、前途多難でした。

「3,000名の社員全員と直接会って、カウンセリングをするんだ！」
という遠大な目標を立て、やっと社内幹部の承認を得たばかりでした。**「自分の健康」**がどれほど大切なのか、痛感しました。

しんどい時ほど、行く先々での社員や所長たちの優しさにどれほど助けられてきたことか。

最初に朝礼に参加するときは、全員に警戒されますが、ほぼ1日かけて面談を続けていくうちに、帰る頃にはみんなは昔からの知り合いのように馴染んでくれます。最後には「また来てね」と送ってくださる。そしてその中心には、現場のリーダーである**所長の笑顔**がありました。

そして……四国全域の面談を終えたところで未曽有の災害**「東北大震災」**が起きたことを機に、巡回は即中断となりました。

しかし、その会社は災害時に必要な機械のレンタル業でもありました。新幹線がやっと動きだしたと同時に、オバチャンは災害担当本部長に直訴します。**「東北全域の巡回面談をさせてください！」**

宿泊施設も鉄道もまだまだ普及していませんが、**「今一番辛い人たちに会いに行きたい！」**そんな思いでした。

お節介オバチャンは一人で、仙台、石巻、気仙沼と被災地にある現場を回り始めます。

そこで出会ったY所長はまだ若き管理職、50名以上の部下を抱える営業所を任されていました。

所員全員命は無事でした。しかし、自宅が全壊、半壊、水に浸かったなど被災した家も多く、また、家族や身内を亡くした人もありました。取引先は、海近くの工場も多く、会社を守って命を落とされた経営者も多数いらしたとも聞きました……。

そんなときに女川でご遺体を安置するための「テントの貸し出しと管理」の仕事依頼が入りました。Y所長は部下のメンタルを考え、自分一人で赴き、仕事を黙々とこなしてきたとポツリと話してくれました。避難所から通勤する部下にも気を配り、非常に多忙な業務も休まずこなしていました。

その姿勢や信念は部下にも十分伝わっており、全員が所長を中心に一丸となっている、その様子を見ているだけで、胸がとても熱くなりました……。

管理職の目指すべき仕事の原点は「正しく導く」こと。

部下のため、お客様のために

「リーダーシップを発揮する」こと。

カウンセラーとして東北巡回をした思い出は、何年経っても鮮やかに蘇ります。

働く＝「人（ハタデウゴクヒト）を

楽にしてあげること」

人の役に立ち、人に感謝され、

自分を認めてもらう。

働きやすい環境を作り上げることが管理者のお役目だと思っています。

この本は、部下指導を任された管理職の皆様が、人生や職場でさまざまな出来事をきっかけに心身不調に陥り悩む部下をどう導いていくかを、それぞれ事例形式で載せています。この1冊に個別指導のヒントが詰まっており、全てが実際の事例に基づいています。

いち早く部下の不調に気づき、その後の対応をどうしていけば良いのか。

困った時こそ、チームが一丸となれるチャンスでもあります。

さて、お節介オバチャン直伝のメンタル指南の内容をご紹介していきます！！

CONTENTS

もくじ

3 推薦の辞
6 まえがき

12 case1 「大先輩」症候群のAさん

22 case2 5月のメランコリー症候群のBさん

32 case3 新天地に馴染めない症のCさん

42 case4 期待外れ症のDさん

50 case5 典型うつ症のEさん

58 case6 感情起伏症のFさん

66 case7 ガラスのハート症のGさん

74 case8 突然の「適応障害」診断のHさん

82 case9 お局泣かされ症のIさん

90 case10
介護と仕事の板挟みのJさん

96 case11
ベテランメランコリー症のKさん

104 case12
いろいろな職場を回遊してきたLさん

110 case13
新職場に不安症のMさん

118 case14
ネット依存症のNさん

126 case15
同僚の無視無視作戦に敗北したOさん

134 case16
お客様の無理難題に困り果てのPさん

140 case17
ジェネレーションギャップに悩むQさん

146 case18
好きな仕事しかしなくなったRさん

154 case19
先輩が急にいなくなってしまったSさん

162 case20
賭け事のめり込み症のTさん

170 あとがき

case1

「大先輩」症候群のAさん

同じ職場に長くいるベテランだからという理由で、
自分の考えを押し付け、
場の空気を左右させてしまうタイプ。
実は自己愛や自分優先の考えが原因。

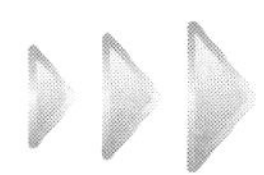

①具体例

先輩社員のAさんは、入社以来ほぼ同じ職場で仕事をしています。他の社員は、ある程度の年数が経つと異動があり、職場に新たな社員が加わるなど、組織の中は適度に入れ替わります。通常では、だいたい5、6年で組織内の人員に変動がありました。

営業職の社員が多い中で、Aさんは内勤の事務職として地元で採用されました。そのため、何十年も今まで転勤がなかったという事情もあったようです。

そして、いつの間にかその職場のことをすべて理解している「大先輩」となり、毎年、新人指導を任されるようになりました。

さらに長い年月を経て、「大先輩」の意見や意向は、だんだん強くなっていきました。
そして今では、その職場の「大先輩」としての圧力が強大になり、社員は彼女の顔色をうかがいながら仕事をしているありさまです。

②陥りやすいタイプと症状

組織長が新任として異動してくると、最初はベテラン社員に職場の様子を聞くことが多いものです。当然、Aさんは、誰よりもその職場のことをよく知っているので、上司が替わるたびに、いつも頼りにされていました。

そして本人は、だんだんと「ひとりよがりの職場の仕切り役」としての傾向が強くなっていきます。職場の中は、遠慮して誰も自由に意見が言えなくなっている状態です。

さらに、自分の仕事を別の社員に取られてしまうのではないか、という思い込みが強くなります。これが「大先輩」の特徴の1つです。

そのため、仕事を自分1人で抱え込み、人に教えたがらないのです。

会社が定めたルールではなく、自分勝手なマイルールで職場の仕事を進めており、職場もそれに従ってしまうのです。

本来は、お客様のためのサービス提供のはずが、自分がやりやすいように勝手に変えた仕事の進め方になっていました。さらにAさんは、他の社員にも自分のやり方を押し付けていくようになりました。

また、新人の教育担当になっても、業務の基本を細かく教えようとはしません。新人がミスをしてしまうと、「なぜできないのか」と頭ごなしに叱ったりします。

新人がAさんに「一体何が間違っていたのか」と聞いてもその理由を明確には教えてくれません。そんなことが続くうちに新人もすっかりAさんへ質問がしにくくなり、お互いの関係性もギクシャクしていきます。

さらにAさんは、自分に有利な業務の取り決め・ルールなどを勝手に決めてしまっている状態です。
新人は徐々に職場での不平等な関係性に不満を持つようになります。そして次第にやる気を失い、やがて辞めていってしまうのです。
まさに「あの職場はなぜ社員が次々と辞めていくのか？」と言われる図式となっているのです。その理由とは実はこんな具合なのです。

「大先輩」の裏表のある対応も職場では目につく光景になっています。
相手によって言動や対応に違いを見せるのです。実際に本社や支社から役職者が来ると、今まで後輩に取っていた「横柄な態度」から「頼もしき良い先輩」の対応へと一変します。

エライ人には、日頃の傍若無人な言動の「そぶり」も見せません。「大先輩」のこういった態度は、職場の後輩たちが言わないかぎり、本当の実態がわからないという図式になっていくのです。

③goodな対応、badな対応

異動してきたばかりのリーダーにとって、Aさんのような社員は、非常に問題の多い社員なのかもしれません。

でも、長年不均衡な関係が続く職場の社員としては、あなたが新しくリーダーになって、現在の職場を改善してくれることを大いに期待しているとも言えます。

新リーダーが「救世主」として、職場を大きく変えてくれるチャンスの到来なのです。

●goodな対応

リーダーとして、まずは職場の1人1人の社員と面談して、職場の現状を大まかに把握していきましょう。

また、その話を聞いただけですぐに大きな改善などをしようとは安易に考えず、全体の状況確認に留めておきましょう。

個人のヒアリング（カウンセリング）を通して、それぞれの特徴・性格が職場にどう活かされているのかを感じてみることも大切です。

面談でのポイントは、リーダー自身がいかに自分のことを素直に「自己開示」していけるかです。社員と打ちとけるためにも、リーダーが「自ら心を開く」ことで、最初の信頼関係を作ることができるのです。

個々に面談を行うことで、この組織の現状や特徴をさらに活かすために何が必要なのかを考え、あるべき全体像を大まかに考えることができます。
「もっともっと働きやすい職場を一緒に作ろう」といった目標を掲げ、リーダーが取り組みたい具体的な内容を組織全体に伝えていきます。

ただし「ローマは一日にしてならず」と言われるように、チームを作り上げるには、長い積み重ねが大切です。どんなに頑張ってもうまくいかないことのほうが多いかもしれません。そのためにも、支援してくれる相談者や協力者をたくさん作っていきたいですね。

さて、「大先輩」Aさんについては、決して特別扱いはせず、全員と同様にヒアリングを行うことです。彼女の今までの業務の変遷を確認し、できるだけ丁寧に「傾聴」することを、まずは心がけましょう。

実は、過去にリーダーたちがじっくり本人の話を聞いてこなかったいきさつがあったのかもしれません。もしそうであれば、現状の改善は意外に早く、本人の気持ちの変化も期待できます。

注意点として、上から目線の指示・命令は、この時点では決して出さないこと。コントロールしようという言動がわかってしまうと、Aさん本人からの本音は一切聞き出せなくなり、その後の指導もなかなか難しくなります。心を開かせるチャンスを大事にしましょう。

さらに、期待することとともに、組織を活性化するために必要なこと、リーダーとして行いたいことをハッキリと話していきます。その時点で本人自身の気づきや「態度を改める気持ち」が出てくれば、しめたものです。

目上であっても経験値が高くても、平等に「傾聴」による現状把握を行っていくことを伝えます。

そして今後の組織全体の目標を掲げ、全員がその目標に向かっていくことをしっかりと明示しましょう。上司の考えとは一貫し、決してぶれないことを念頭に置いてください。

●badな対応

リーダーがこれまで「大先輩」Aさんが言ってきたことを否定し、上から目線での「指示対応」をしてしまうことです。

最初から「全面否定」されると、本人は表面上は肯定していても、かたくなに心を閉ざしてしまうかもしれません。

ますます「独立路線」で我が道を行ってしまう危険性があります。

できるだけ相手の「良いところ」に目を向けることを意識していきましょう。

「リーダーであるあなた自身」が自分がされて嫌だったことは、部下も嫌がりますよね。優れていることは褒めて、ダメなところは注意する、相手の「認めてもらいたい」気持ちをどんどん刺激しましょう。

最後に、リーダーがどんなに一生懸命に心を尽くして組織変容を試みても、まったく言うことを聞かない「大先輩」もいるかもしれません。

こういう場合は、全体を統括する組織長にぜひご相談ください。リーダー自身が弱みを見せるのではなく、社員の問題を自らが「周囲へ相談」することもリーダーにとってとても大事なことなのです。

組織同士の交換人事により、どうしても行動を変えない先輩社員の環境を一新させたこともありました。つまり、Aさんのようなベテラン社員が新たな職場に行くことで、改めて本人の「気持ちの変容」に繋げたケースになりました。

また、私もカウンセラーとして何度かリーダーからの相談を受け、社員とリーダーの橋かけとして組織長に相談内容を伝えたこともありました。

リーダーには決して問題を1人で抱え込まずに他者への相談も行ってほしいのです。誰かに話すだけで、心もスーッと軽くなります。

過去にリーダー自身が「大先輩」によって心が折れ、メンタル不調になってしまい、相談されたことがありました。すぐに組織全員のカウンセリングを行い、支店長にすべての事実を報告しました。
「大先輩」は、ただちに別の営業所に異動になり、上司も無事に復職、社員も生き生きと仕事ができるようになりました。時には大きな転換も必要です。

繰り返しますが、決してリーダーだけが自分1人で抱え込まないよう、周囲に相談できる環境を整えていきましょう。

④リーダーの心得（お節介オバチャンからの一言）

カウンセラーでもあるお節介オバチャンは、以前に「お局」と言われていた女性社員と2時間近く向き合って、面談したことがありました。

元気とスタミナ満載の彼女でしたが、根気よく話を聞いてみると、確かにひとりよがりな思いや対応は言葉の端々に表れていました。

ただ、私は、まったく気にせずに話を聞き続けました。
そして、最後の最後に感想を聞いてみると、彼女の口からこんな言葉が出てきました。

「長年仕事をしてきたけれど、今の今まで自分のことや仕事のことを、ここまで話したことはなかったと思います。
全部、話を聞いてもらって、本当にスッキリしたし、今まで上司や同僚に良かれと思ってしてきたことも、『行きすぎだった』となんだか無性に反省したくなりました。明日からは、初心に戻って仕事に取り組みたいと思います」

こう言われたときには、本当にビックリしました。

自分で話していくうちに「彼女自身の大きな気づき」があったのだろうと思います。そして彼女は、今では支店で新人指導役として大活躍をしています。

1回の面談で、正直、ここまで変わってくれるとは思いませんでした。

リーダーのあなたなら、部下を劇的に変えることが絶対にできますよ。

POINT

◉リーダーとして、職場の一人ひとりの社員と面談して職場の現状を大まかに把握しましょう。リーダーは社員と打ちとけるためにも「自ら心を開く」ことで信頼関係を築き支援してくれる相談者や協力者を増やしましょう。

◉Aさんに対しては、決して特別扱いせずに他の社員と同様にヒアリングを行いましょう。この時できるだけ丁寧に「傾聴」することを心がけましょう。上から目線の指示・命令はNG。Aさんの心を開かせることに注力を。

case2

5月のメランコリー症候群のBさん

失敗を極端に恐れ、
常に「できる新人だ」と思われたいタイプ。
わからないことも教わろうとしないため、
いつしか自分で自分を
追い込んでしまっている状態。

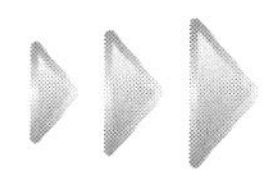

①具体例

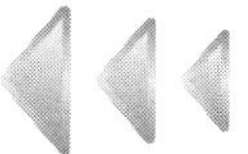

今年の4月の入社式が終わると、フレッシュで元気いっぱいの新入社員のBさんがさっそうと配属されてきました。

社会人1年生としてこれから挑戦していこうと希望にあふれ、いつも元気良く挨拶をしてくれました。日々の仕事を意欲的に覚えて頑張る姿に、職場にも新たな活気が出てきたほどでした。

ただ、1か月経つと、Bさんの様子に少しずつ変化が出てきました。

さらに2、3か月が経つと、Bさんの様子があきらかに変わっていきました。あんなに明るかった表情もすっかり消えて曇りがち。声にも行動にも以前のような元気がすっかり失くなってしまっていました。

また、週明けには、Bさんから遅刻や休みの連絡などをしてくるようになり、先輩社員たちもこの変化にどうしたものかと心配しています。

②陥りやすいタイプと症状

「自分は明るく元気で仕事もバリバリできますよ」と力強くアピールする新人は、一見すると職場になじみやすく、上司にとっても非常に安心できるタイプに思われがちです。

特に人より目立ちたい「自己顕示欲の強いタイプ」は、実際はちょっと注意が必要な症状が出てくる傾向があります。

できるだけ自分を大きく見せたがることは、最近の若手の傾向として比較的多いかもしれません。激戦でもある就職活動で苦労し、社会人となれた大きな喜びと共に、もっともっと頑張りたい気持ちの表れでもあります。

そんなBさんを温かく見守ってきた先輩・上司であれば、なおさら新人の変化に戸惑いも大きいでしょう。

「自分はできる人間だ」と、ことさら自己主張するタイプは、一見打たれ強いと思われます。ところが、「成功体験」がほとんどない若手社員にとって、「期待外れ」「失敗が露見する」「人前で叱られる」ことは何よりも非常に怖いことなのです。

何か問題が起きると、すぐに本質の弱い部分が表面化してしまいます。

弱みを他人に見せたがらないタイプであれば、さらに「失敗を隠す」「責任転嫁する」などの自己防衛をしてしまいます。そうして、ますます自分を追い込んでしまうことになるのです。

「自分は悪くない、職場が悪い、仕事も教えてくれない、先輩が悪い」と他責にする傾向が強いです。

「そんなに弱いのか」とついつい思いがちですが、実際胸に手をあててみると、私たちも若い時代に、そういう思いを持っていたのではありませんか？

③goodな対応、badな対応

●goodな対応

まず新人が配属されたら、職場の中で専属で教える先輩を1人選んでください。そして、最低でも3か月は徹底的に鍛えてもらいましょう（職場内教育＝OJT）。

良かったこと、うまくできたことはみんなのいる前で褒める。まず本人に「成功体験」を1つでも多く体験させることが大切です。

次に、できなかったところ、間違ったところ、失敗したところを一緒に確認します。

何が原因で失敗したのかを、本人にじっくり考えさせること。そのときにリーダーは、自分の経験談を語らずに、なるべく口出しせず聞くことに徹することが大切です。

人から聞いたことはすぐに忘れますが、自分が苦労して考えて実行したことは、一生忘れません。

「成功」はそう簡単にはできないことも、同時に学んでもらうこと。

失敗も反省することによって、少しずつ改善し「成功体験」へと繋げていきます。

うまくいったことは何度も何度も繰り返し復習させ、1つ2つと自信に繋がるものを作っていくことです。失敗は単なる失敗ではなく、学習するための良い機会であることを、「実地体験」によって学んでもらうこと。

とても根気のいる仕事なので、できるだけ面倒見が良く、また同じ仕事をしている先輩を選び、新人の指導をしっかりと実行させていきましょう。

リーダーは必ず進捗状況を聞き、そのたびに新人に声をかけます。「決して仕事は1人ではできないこと」を理解させることで、成功も失敗も職場で必要な情報共有であることを学ばせます。これは、新社会人として確実に教える必要があります。

さらにリーダーは、OJT担当社員から報告を聞き、要所要所では必ず新入社員に「ねぎらい」や「叱咤激励」の言葉をかけましょう。

例えば……。

「Bさん、最近はあまり私と話をしなくなったので、どうしたのかなと思っていた。以前は毎朝、元気良く挨拶してくれていたのに、今朝は挨拶がなかったので心配していた。今、時間が空いたので少し話をしたいが、どうだろうか」

まずはリーダーからBさんに声をかけ、最近の状況などをゆっくり確認してほしいのです。

少々面倒であっても、その小さな積み重ねが新入社員の心にしっかりと響いていきます。
実際に、職場巡回で出会った「この子、大丈夫かな」と心配していた新人が、その1年後、仕事を1人でバリバリとこなすなど、すっかりたくましく成長した姿も目にしました。特に新卒は社会経験もなく、まっさらな状態で入社するので、最初の学習こそがもっとも大事だと言えます。

●badな対応

新入社員に職場で最初から仕事を丁寧に教えない「放任主義」の状態にしてしまうことです。新人任せで、周囲が本人に「かまわないこと」によって、どれだけ新入社員がつぶれていったことか。

「いくら質問しても、先輩が誰も答えてくれない」「ろくに基本も教えてもらっていないのに、たった1人で営業に行かされた」「わからないことがあっても、誰に相談していいかわからない」という訴えも相談の中では実際にありました。誰もが非常に多忙であり、先輩も上司も余裕がない職場で起きてしまうことが多いかもしれません。

新人研修で自信をつけたつもりの新入社員も、「忙しいから」と放っておかれる環境に配属されたらどうでしょうか。3か月もすると、あっという間にしおれてしまいます。

一方、東西で分けると西の地域、関西方面では、入社した新人に社員全員が「声をかける」傾向が大きいと全国巡回をすると特に感じました。

配属直後に職場巡回に行き、「この子はかなり口下手で無愛想な態度なので、もしかしたら長続きしないかも」と感じていた女性社員がいました。
その半年後、偶然にも再会した彼女は、「困った新人」から「仕事のできる社員」へとすっかり変貌していました。

お母さん世代のパート社員の人たちも、彼女に対してなんのためらいもなくダメ出しをしていました。
「またそんなことして！　最初はこれをやっておかないとダメだと何度も教えたでしょう」
ぽんぽんと小気味よく言葉が飛び交い、注意したすぐあとで、みんなが笑い合っている光景が目に入り、とても爽やかな気持ちになりました。

新入社員がめげずに明るく応えている姿勢に、「大きな成長ぶり」を感じて、「すごいね。みんなに頼りにされてるんだ」と本人に声をかけました。
「私、この職場に入って本当に良かったです」とニコニコしながら答えてくれて、そのあとの面談でも非常に明るく活気のある話ばかりでした。

翌日の営業所の朝礼時に「何か一言を」と言われたので、新人の驚くような成長ぶりと職場の全員の声かけの素晴らしさを話しました。所内のみんなの照れくさそうな顔が印象的でした。

「新人こそ、与える環境によって一番大きく変貌するもの」。あなたがいないと困るんだよという雰囲気が大切なのです。

④リーダーの心得
（お節介オバチャンからの一言）

後日談です。

先の通り、お節介オバチャンが、営業所の朝礼時に「何か一言を」とリーダーに言われたので、「新入社員の方の劇的な成長ぶりにとても感動した。職場の1人1人にお礼を言いたいです」という話をしました。私の話を聞いて朝礼に参加した社員の顔も晴れやかで、その場の雰囲気もとても和やかな感じでした。

お昼近くになると、突然、支店から支店長がその営業所を訪問して来られました。そして支店長はお昼時に、新人を含めて社員たちをランチに誘い、お店でも終始ご機嫌でした。もちろんオバチャンも同行させてもらい、大変美味しいランチをご馳走になりました。

支店長は、4月に入社した新入社員の成長ぶりをとても褒めており、終始優しく部下を労っていました。朝礼の話が伝わったのかな?? これこそがトップリーダーの粋な計らいですよね。

POINT

◉良かったこと、うまくできたことはみんなのいる前で褒め、Bさん本人に「成功体験」を1つでも多く体験させてあげましょう。

◉失敗したときは、原因を本人にじっくり考えさせる。そのときリーダーはなるべく口出しせず根気強く見守りましょう。

◉リーダーや教育担当の先輩社員は仕事の進捗状況や報告を聞き要所要所で「ねぎらい」や「叱咤激励」の言葉をかけましょう。新人任せの「放任主義」にならないように気をつけましょう。

case3

新天地に
馴染めない症の
Cさん

希望部署に異動できたが、すでに社歴も長く、
仕事の基本も聞けない状態。
新しい仕事にまったくついていけず、
不安を溜め込んでしまっている。

①具体例

Cさんは新卒社員として入社して以来5年間、ずっと営業の仕事をしてきました。最初の配属先として行きたかった部署は「人事部」でした。新人の採用や研修を自分で経験してみたいと強く希望しました。

しかし実際は、もっとも苦手だった「営業部」に配属になり、正直、がっかりしました。
でもあと何年か頑張れば、いずれ希望する部署に異動できるのではないかと思い直し、苦手だった営業の仕事をなんとかこなしてきました。

そして6年目になった今年、念願の人事部に異動することができたのです。

「やった！　これで本当に好きな仕事ができる！」と勇んで人事部に行ってみると……。

喜んでいたのも束の間、この部署は実は、大変な繁忙状態でした。仕事量に対して人員も全然足りていなくて、先輩社員たちはみんな抱えきれないほどたくさんの仕事を必死にこなしていました。そんな状況では、なかなか最初から教えてもらえる時間などは取ってもらえませんでした。

それでも、わからないことを聞こうとすると、「お前はもう6年目の社員なんだから、言われなくてもこれくらいわかるだろう。自分で考えて実行しろ」と言われるばかり。

気づけば、同期のみんなはそれぞれの所属部署で、中堅社員としてバリバリ仕事に打ち込んでおり、自分だけが新しい部署でまだ何もできていない。いつの間にか、自分だけが1人取り残されている状態になってしまいました。

不安と焦りで気持ちがすっかり落ちこみ、自分が異動希望を出したことを今では本当に後悔しています。

②陥りやすいタイプと症状

学校を卒業したばかりの新入社員であれば、すぐに指導役の先輩社員がついて指導が始まります。また、職場内教育（OJT）で細かく教えていくことも多いでしょう。

ただ、何年か経験のある社員になると、状況はまったく違ってきます。職場では「これくらいは知っていて当たり前」「あなたは営業の仕事を5年もしてきたんだし、職場の状況を汲みなさいよ」といった状態になるかもしれません。

さて、希望で胸を膨らませて異動してきたこのCさんの気持ちは……。

「今さら、一から仕事を聞いてはいけないのだろうか……」
「先輩たちはとても忙しそうで、どうしても気軽に声がかけられない……」
「自分はとうてい上司や先輩のようにはできないのではないか……」

このように、相談もできずに1人で抱え込み、すっかり自信を失っている状態です。
念願だった人事部の仕事への情熱がすっかり薄れてしまい不安な状態でいることは、新卒社員の心情とほぼ同じでしょう。もしかするとプレッシャーはそれ以上かもしれません。

また新しい仕事にも、自ら進んで行動はせず、何事も一歩引いて、やや遠慮がちになる傾向もうかがえます。すっかり職場の雰囲気に呑み込まれてしまっているのです。

しかし、プライドだけは高く、なかなか人に聞くことをしません。相手の態度に必要以上に敏感に反応し、しかも自己主張がしにくいことが特徴でしょう。

このまま放置していけば、常に神経をピリピリさせ、何事にも過分な反応が続き、やがて「不安神経症」のような、メンタル不調の症状がでてしまうことが考えられます。

まずは本人の話をよく聞き、なくしてしまった自信を1つずつ取り戻させていきましょう。

③goodな対応、badな対応

●goodな対応

異動してきたCさんの不安そうな状態を素早く察知することです。

多忙な職場の救世主として、営業部から異動してきてもらった人材が、十分なパフォーマンスを発揮できないでいること自体が、本末転倒になってしまっている状態です。

なんのために人員を増やしてもらったのか。

新人ではなくても、一人前の業務を覚えてもらうための中長期の育成方法や、成長過程の対応法など、最初が肝心なはずです。決して、目先の忙しさを緩和させるためだけの人員確保ではないはずですよね。
リーダーはその対応をしっかりと組織全体に広めていく役目があります。

その目的を理解した上で、まずは本人の性格・資質を確認し、信頼できる先輩社員に指導を一任するなどして、早く一人前に仕上げてしまいましょう。
面倒でも職場内教育を徹底し、やるべきことを早く学んでもらえば、あとは本人自身で応用ができます。

さらに、叱る際には個人のプライドを傷つけないよう、個別に行うこと。新卒で配属された後輩よりも社歴がある分、これには慎重さが必要でしょう。

ただし、業務や環境に馴染んだら、決して特別扱いせずにしっかり叱咤激励しましょう。このケースも新卒同様に、最初の取り組み、声かけこそが肝心なのです。

異動によって希望部署に配属された「本人の気持ち」を決して消さないこと、成長を見守るリーダーがついてくれるという安心感や信頼感ができれば、もう一安心です。

「Cさんが人事部に来てくれて本当に助かっている！　よく来てくれたね。5年間の営業部での経験は、人事部での仕事に役立つことばかりだ。まずは人事部の基本をしっかりと覚えてほしい。また、営業職の目線で新たな提案もどんどん行ってほしい。新人ではない分、いっそう要求も高くてきついことも確かに多いと思うが、周囲も長期的な目線で期待している。ぜひ、焦らずに仕事に取り組んでほしい」

例えば、こんな声かけがあったらどうでしょう。Cさんはそうとう嬉しいはずです。

気づいたときにこそ、リーダーの優しい声かけが本人のモチベーションを劇的に引き上げてくれるはずです。

●badな対応

職場の多忙さを理由に、本人の辛さや苦しさに気づかず、放置してしまうことです。

最初のころと比べ本人の態度や表情が一変し、しんどそうな暗い表情であれば、すぐに手を打ちましょう。早くしないと本人のモチベーションのダウンは時間の問題になってしまいます。

社員の不調に気づいた人が、すばやくリーダーに相談する環境を作っていない職場は、社員の全体の動向を把握できていません。せっかく新しく仲間になった人材も、すぐにつぶれてしまうのです。

多忙な職場であるからこそ、早く一人前の仕事ができるようになってほしい。
それであればなおさら、入社6年目と言っても、人事の仕事に対してはまったくの新人であることを最初に理解すべきです。1つ1つの業務をこなしていけるまでは上司の「支援」と周囲の「協力体制」が一番大事なのです。

④リーダーの心得
（お節介オバチャンからの一言）

新たに異動してきた社員の対応は、先輩に預けてそれで終わりではありません。

しんどくなってくる絶妙のタイミングで、リーダーからの温かな励ましや褒め言葉をもらうことで、異動間もないCさんにとってはモチベーションを下げることなく、さらに思っている以上のパフォーマンスを発揮してくれます。

お節介オバチャンも出張巡回先の職場で、すっかり気持ちが落ちこんでいる社員に何十人と会ってきました。落ち込み状態の時間が短ければ短いほど、モチベーションはすぐに上向きになれます。まさしくリーダーの素早い気づきと声かけがとても大切なんです。

落ち込んでいるときにこそ、さりげないリーダーの優しい一声がどんなにありがたいことか。一生の思い出になるはずです。

POINT

◉異動してきたCさんが不安な状態になっていないかリーダーは気を配るようにしましょう。また職場内教育を徹底しやるべきことを早く学んでもらえる環境作りをしましょう。

◉叱る際には個人のプライドを傷つけないように個別に。業務や環境に慣れてきたら特別扱いせずに叱咤激励しましょう。

◉異動によって希望部署に配属された「本人の気持ち」を決して消さないよう、成長を見守ってくれるリーダーがいてくれるという安心感や信頼感をCさんが感じられる職場にしましょう。

case4

期待外れ症のDさん

アピール度抜群で周囲の期待に応えたい新入社員
新人研修と実際の業務とのギャップに悩み、
行動の空回りが起きてしまっている状態。

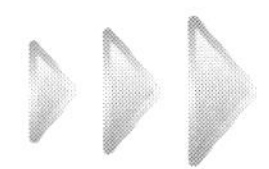

①具体例

大学卒業後、Dさんは一番に希望した会社へ運良く入社することができました。そして、一番入りたかった部署にも配属されて、「自分はなんて運がいいんだろう」ととても嬉しかったのです。

「この仕事、誰かやってもらえる人はいないかな」。ミーティングで上司から言われると「ハイ、ぜひ自分にやらせてください！」と積極的に手を挙げました。

「おっ、Dくんやってくれるのか。頼もしいな、それじゃあ任せたぞ」。上司も期待してくれている。積極性が自分の強みだと信じて疑わない。どれどれ、言われた仕事は簡単だ、さっさと終えてしまおう！

でも、あれれ、この次の手順はなんだったっけ、忘れてしまった……。完成形はこうなればいいとわかっているが、どこで間違ってしまったんだろう。困ったなあ、今さら周りに聞けない雰囲気だ。

実は、新たな仕事を引き受けたものの、自分の本来の仕事も全然終わっていません。本当は……わかっていないことのほうが多い。でも「やれる」と手を挙げた以上は、上司にできないとは決して言えない。自信はあるけれど、実際には空回りも多いと感じてきています。このままでは、先輩たちに「あいつは口先だけだ」と言われてしまうのではないかと怖れています。

今は最初の勢いもなく、会社に行くのが毎日辛くなっています……。いったいどうしたらいいのでしょう。

②陥りやすいタイプと症状

ことさらに自分を大きく見せようと周囲にアピールするものの、実際には仕事の成果や結果が出せていない「自己愛型」タイプに、この状態が多く見られます。

さらに行動面では、いつも落ち着きがない、1つのことへの集中力が続かない、などといった状態が見られ、仕事の効率が3か月以上経過しても業務改善の取り組みが見られない場合もあります。

また、このケースは、もしかすると本人の資質に少々「発達障害」の症状などの要素が含まれているのかもしれません。

早く認められたいという欲求が強すぎるのか、さらに仕事面で極端な得意・不得意な要素があるのかどうか、状況をしっかり観察していきましょう。

③goodな対応、badな対応

●goodな対応

本人の資質をしっかりと目と耳で確認することです。

まず、通常の職場内教育の不足を補うことで、空回りの行動をしなくなります。1つずつ対処法を学ぶことで小さな自信に繋がり、少しずつ「自己成長」を促していきます。

1. 本人の積極性を褒める。

2. 実際にできていないところはどこか、どうすれば良いかを本人自身に答えさせる。

3. 回答が出ない場合には、間違っているところの解決策と今後失敗しない対応策を一緒に考え、基本を指導する。

4. 日々、業務の進捗状況を、リーダーへの報告(キャッチボール＝やりとりのあるもの）として、自ら行うようにさせていく。

5. 対応ができたところ、まだできていないところを明らかにして、改善の進捗を確認していく。

「できます」という言葉をうのみにして放っておくと、本人は、できないことを隠すことになります。早く手を打てば打つほど、その積み重ねを断ち切ることができます。

新人を責めるよりも、その新人が間違いを自分で申告できるようになるため、周囲の協力が重要です。そして、その関係性がとても大切な絆になっていきます。

「Dくんが、今まで人に聞けなかった状況はよくわかったよ。でも、『できる、できる』と本人から言われたら、周囲はすっかり安心してしまうでしょう。

そうではなくて、実際にどこまでができてどこからがわからないのか、これからはしっかり伝えて、その都度教えてもらうこと。そして自分が理解できたら、教えてもらった相手に必ず『ありがとう』を伝えること。

先輩から教わったことはしっかりと覚えていってほしいし、また今後はDくんが教わったことを後輩に伝えていくことになる。それが職場の仲間同士の、正しい仕事の伝達であり、伝統にしていきたいと思っている。

どうだろう、これからは自分のことを飾らず隠さず、素直に周囲に伝えてほしい、そうすれば職場のみんなは必ず協力してくれることもどうか忘れずにいてほしい」

リーダーからのそんな声かけで思いを伝えられたら、「期待外れと思われがちなDくん」はすぐに劇的に変わってくれますよ。

●badな対応

「あいつは口ばかりで仕事ができない社員だ」と一方的にレッテルを貼ってしまうことです。「大事な仕事は任せられない」と職場の全員が判断してしまうことによって、本人のやる気は、どんどんなくなっていきます。

「あいつはダメだ」と「あきらめる」前に、周囲によるタイムリーな指導、スモールステップによる目標達成などをしてきたのかどうか、リーダーを中心に、職場全体が今までの考えをもう一度一から改めて考え、真剣に取り組んでほしいのです。

「新人指導には、職場での日々の声かけがもっとも大切」なのです。

最後に、本人に少々「発達障害」の傾向があると感じた場合、日々の仕事ぶりを観察し、できていることやできないこと、苦手なことなどを観察し、必ず人事担当者に報告・相談して連携を取りましょう。

通常業務の中で、いくつか重なる仕事の優先順位をつけられるか、お客様の望むことを察して対応ができるかどうかなど、特徴を確認します。症状を治すのではなく、適材適所の仕事をさせていくことで、必ず解決に繋がっていきます。

近年、この傾向がある若手社員が少しずつ増えてきているのかもしれません。ただ、本人の得意・不得意の特徴も、それが1つの個性であるということを、私たちは自覚して進めていきましょう。

④リーダーの心得
（お節介オバチャンからの一言）

お節介オバチャンは、企業内の「健康相談センター」の立ち上げを依頼され、まずは本社で仕組みを作りました。そして、メンタル不調者の対応をほぼ解決させた後に、全国各地のあらゆる職場に出向きました。

その中で「発達障害」の傾向がある社員たちとも何人か出会い、多くの面談を行ってきました。
実際に、「発達障害」を自ら認める人も、またはまったく認めない人もいるなど、自分の状態への理解はさまざまです。

ただ自分の症状を認めない人であっても、実は社会に出てみてその「生きづらさ」を少々感じているケースも多いです。
社内の専門家とリーダーが連携を取り合うことで、解決の糸口が早めに見つかります。

リーダーの決断と取り組む姿勢によって、悩みを抱える社員の考えを柔軟にさせることも成長させることもできるのです。

本人と辛抱強く向き合うことで、本人自身も周囲も少しずつ変化が出てきます。

また、お節介オバチャンなどの第3者が介入することによってスムーズに問題解決になったことも多くありました。
リーダーが一人で悩むことは決してありませんよ。

POINT

◉リーダーは本人の資質をしっかりと目と耳で確認しましょう。新人が間違いを隠さず自分で申告できるように、日々、管理情報の報告を主体的に行なってもらいましょう。

◉周囲による、タイムリーな指導、スモールステップで目標達成してきたかリーダーを中心に職場全体で配慮しましょう。

◉もし、本人に「発達障害」の傾向があると感じた場合は日々の仕事ぶりを観察し、人事担当者に報告・相談して連携を取りましょう。

case5

典型うつ症のEさん

ベテラン社員としてひたすら真面目に、
また実際の努力を周囲には一切見せずに
がむしゃらに頑張ってきた。
しかしオーバーワークが続き、
心身のバランスが崩れてしまった状態。

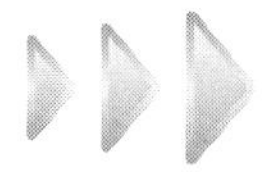

①具体例

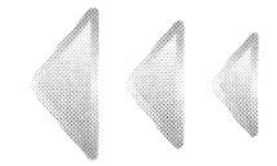

Eさんが会社に入社して25年が経過しました。

職場では今でこそすっかりベテランの立場になっていますが、これまでいろいろな壁にぶち当たり、もうダメかと思った時期もなんとか乗り越え、今では仕事を自分のペースで進められるようになってきていました。

最近、上司から「今後、大きなプロジェクトを部署全体で手がけることになった。みんなには新しい仕事をしっかりと進めてほしい。これからは発注の依頼もどんどん増えるので、職場全体の協力が必要だ」と言われました。

実はこれまでも、後輩が遅れてしまった業務を自分が納期までに何回もカバーしてきたのです。休みも返上して、仕事を最後までやり遂げるなど、自主的にコツコツとやってきました。人の倍近く仕事を任され、負担がこれ以上増えていくのはしんどいです。最近は体力も落ちて無理がきかなくなってきました。これ以上残業すると上司から叱られるので、家にこっそり仕事を持ち帰っています。

睡眠時間もだいぶ削られ、常にだるい感じが抜けません。最近は明け方近くになると、仕事が終わらない夢をよく見るようになりました。眠りも浅くなって夜中に何度も目が覚めてしまい、疲れも取れずに朝を迎えています。朝、目覚めると会社に行くのが辛く、日中も集中力がなくなり仕事のミスも増えています。

②陥りやすいタイプと症状

与えられた仕事を最後まで1人でコツコツとやり遂げる、真面目で手が抜けないタイプは非常に優秀な社員でもありますが、一方で自分1人でやり遂げようとストレスを溜め込む傾向も強いでしょう。

「最近、疲れているんじゃない」と同僚が心配して声をかけても、「いやいや、自分は大丈夫ですよ」と決して誰にも相談しないし、また、自分の大変さやしんどさを周囲に報告もせずにたった1人でやりきってしまおうとします。

しかし辛くても決して休もうともしないで心身疲労は溜まる一方なので、どうしたらいいかわからず、ストレスや不調を抱えこんでしまうのです。

これは典型的な「うつ状態」になっていくタイプでもあり、生真面目な人が陥りやすい行動とも言えます。
（日本人の気質に比較的多いタイプですよね）

③goodな対応、badな対応

●goodな対応

リーダーは早急にEさんと個別に話をして、心身状態を確認しましょう。

1. すでに本人が限界近くまで疲労しているようであれば、早めの休養加療で回復ができるということを話し、会社の専門担当、あるいは専門医へ橋渡しをしましょう。治療の開始が早ければ早いほど、休みや回復も短期間でできるはずです。

2. ベテランになればなるほど、業務の実行は「できて当たり前」で終わり、褒めてもらうこと、評価される機会がなくなりがちです。今まで仕事に対して真摯に向き合ってきたこと、コツコツとやり遂げる業務態度などを改めて確認・理解し、リーダーが声に出して本人を評価しましょう。

改めてEさんの実績を認めるとともに、「しんどいときは隠さずに相談すること」を今後は必ず行うように本人に依頼しましょう。

今回、リーダーと向き合って話をするだけでどれくらい本人の気持ちが楽になれたのか、実感できたのかを聞いてみてください。Eさんは「聞いてもらって本当に助かった」と感じていると思います。

心身疲労など何事も経験しないとわからないことを伝えましょう。また、今後の行動や考え方を変えていけば「自分を守る」ことに繋がっていくのだと、今回の経験からEさん本人に、じんわりと感じてもらえると良いでしょう。

仕事を一生懸命に頑張ることはとても良いことです。ただ人の心身状態には、限界以上に頑張りすぎると必ず「これ以上このまま進むと壊れてしまいますよ」というメッセージが現れます。

つまり、心身のバランスが崩れる前に出る身体の不調は、「1つのシグナル」でもあります。

そういった一連のことに「Eさん自身が気づいた」と思わせることが、リーダーとして「ベストな対応」になります。

人は相手から指摘されると、素直に行動するのがちょっとしんどいのですが、自分自身の「気づき」であると思うと、素直に受け入れることができる傾向があるのです。
「抑うつ状態」になる前に自分自身で気づき、相談ができるよう、今回の経験が生かすように伝えていきましょう。

「今まで職場でEさんが大変な努力を重ねて仕事をしてきてくれたことに、本当に感謝しています。そして、Eさんが人知れずハードな仕事をこなしてきたことに、周囲がまったく気づかず大変な負担をかけてしまったんですね。
またその辛いことを言えずにいたEさんに対して、チーム全体の責任はとても重いと思っています。本当に申し訳なかった！　ひとまずは、身体をしっかりと治してほしいと思っています。
　職場の仲間は全員がEさんを待っていますから、決して焦らず治療に専念すること。これからは、Eさんだけに負担させることは決してしないので安心してほしい」

　リーダーからこんな話をしてもらっただけで、Eさんの気持ちはどれだけ晴れることか。それこそ、目の前がパッと明るくなるでしょうね。

●badな対応

　生真面目なEさんが倒れるまで放置してしまうこと。貴重な戦力がいなくなることを恐れ、何もせずにいる職場こそが、一番badなのです。

　同じ部署の社員は「今度、自分も具合が悪くなったら、ああやって倒れるまで働くことになる。この職場では何もしてくれないのか」といった感情が生まれ、グループ内での協力体制やいたわりの精神も薄くなってしまいます。

　多忙なときこそ、「急がば回れ」なのです。また、職場全体のメンタルが強固になる絶好の機会でもあります。リーダーが職場のメンバー、1人1人の個性に合った声かけをするだけでも、大きな不調者予防に繋がるのです。

　仕事の進捗にばかり注視してしまうリーダーにとっては逆に大きなつまづきになってしまいますよ。

④リーダーの心得（お節介オバチャンからの一言）

真面目に仕事をしてきたベテラン社員は、長年のストレスも溜まっています。

元気で明るいリーダーがEさんの対応に向き合っただけで、症状の半分は軽減します。
認めてもらい、激励してもらうだけで人は癒やされるものです。そしてワーカホリックの考えを自然に改めてもらいましょう！

お節介オバチャンは全国巡回の中で、このように真摯に仕事に取り組む技術系の社員に数多く出会いました。管理職に昇進すると新たにチームのとりまとめ、報告等も増えてそのプレッシャーに潰されてしまうケースも多かったのです。
昇進はとても嬉しいことですが、反面ストレスもかかっているという自覚をもって仕事に取り組み、また、リラックスする時間を持ってもらいましょう。

トップの上司に心身状態がすっかり疲弊してしまった本人の現状を伝え、早めのフォローを行ってもらい、すぐに対策をとることができた事例もありましたよ。

POINT

◉リーダーは早急にEさんと個別に話をして、心身の状態を確認しましょう。すでに本人が限界近くまで疲労しているようであれば、早めに休養加療で回復するために、会社の専門医へ橋渡しを。

◉改めて、Eさんが今まで仕事に対して真摯に向き合ってきたこと、コツコツとやり遂げる業務態度などを改めて確認・理解し、声に出してEさん本人を評価しましょう。そして今後は必ず「しんどいときは隠さずに相談すること」をEさん本人に伝えましょう。

◉うつの状態は、心身のバランスが崩れる前に出る体の不調の「1つのシグナル」。そのシグナルにEさん自身が気づいたと思わせるように促しましょう。

case6

感情起伏症のFさん

極度のイライラ感がつのり「買い物依存」が
どうしても治らない。
「そう状態」と「うつ状態」の症状も
交互に出ている状態。

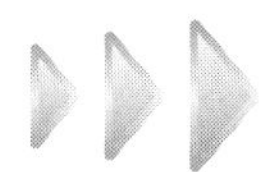

①具体例

最近、イライラすることが多いんです。休みの日に外出すると、気づけばたくさん買い物をしてしまう。何かを買うことで気持ちがスッキリするんです。そうFさんは語り始めました。

でも本当に欲しいものかと言うと……それはかなり衝動的で、実は買ってしまうともう満足して、買った瞬間からもう興味が薄れてしまいます。

この1年で使わない品物がどんどん増えて、部屋中にあふれてしまい、家族もそうとうあきれています。

カード払いで買い物をするので、月末の請求が大変な金額になってしまい、そのときだけは後悔し、反省します。「もう決して無駄な物は買わない」と誓うのですが、それでも気づくとイライラして衝動買いを続けてしまい、どうしてもやめることができません。

また、仕事でちょっとした失敗があると、自分でも驚くくらいそうとうに落ち込んで、口もきけなくなります。しかもその状態を、あとあとまで引きずってしまいます。

今までもイライラ感や落ち込むことはありましたが、なんとか自分の力で元の正常な気持ちに戻すようにしてきました。

でも今は、気づくとマイナスの大きな感情の波に呑み込まれてしまう感じで、自分の気持ちをセーブすることがなかなかできません。

このままでは、いつかは大切なお客様の前で感情が爆発してしまうのではないかと、実はすごく心配しているんです。

②陥りやすいタイプと症状

感情の波が大きくて、イライラや落ち込みが激しく、公私共に悩んでいる状況です。これがひどくなると、大きな散財や借金をしたり、ギャンブルなどの依存症になってしまう危険性があって、平穏な日常が送れなくなってしまいます。

ストレス発散のための買い物や遊び程度ならば正常なのですが、高ぶりと落ち込みの差が激しいという自覚も本人にはあるようです。

その場合、「そう状態」と「うつ状態」が交互に現れることが顕著であれば、「双極性うつ」の傾向があるのかもしれません。

業務においては、例えば、お客様への支払いが完了できていないのに「できている」と思い込むなど、実際には間違っている報告が多くなったりします。本人の報告と実際の売り上げに問題が多発するなど、深刻化する場合もあります。「そう状態」が顕著になると、仕事や人間関係でトラブルが起きやすいのです。

また、心身不調の面では、実際に気分が落ち込んだ状態で心療内科を受診することが多いため、まずは抗うつ薬での治療になっていきます。その後、「双極性うつ」の診断になるまでには、おそらく半年以上、通院を継続して医師が見極めていくケースが多いようです。

つまり、医師がうつ以外に「そう状態」も確認したあとで病名を確定していくなど、病名の見極めにはかなり時間がかかる症状の1つかもしれません。

③goodな対応、badな対応

●goodな対応

本人の心身不調の症状が「傾向」であるのか「病状」であるのかを判断するために、リーダーはできるだけ本人から話を聞き出し、その後は専門担当に速やかに繋げることが大切です。
「そう状態」は明るい症状だけではなく、気持ちが激高し、怒りっぽくなったり興奮したりして、自分はなんでもできると過信し、高揚してしまいます。「そう状態」であるという見極めや診断ができれば、本人も周囲もホッとするはずです。

例えば、リーダーからのこんな声かけをしてみたらどうでしょう。

「Fさん、最近お客様との関係や業務面で何か困っていることはないだろうか。いつもは明るく朗らかなFさんなのに、最近は笑顔が減って疲れているようで、ちょっと心配なんだ」

「ああ、リーダーが自分のことを心配し、話しかけてくれた、話を聞いてくれた」と本人が思ってくれたら、しめたものです。

自分から相談ができる部下であれば、話が早いのですが、なかなか自分の異変には気づかず、また自分からはリーダーに相談がしにくいものです。
いつもと違う部下の「事例性」（普段と違う様子）にいかに早く気づけるか、上司のラインケアによる気づきがもっとも大事な対応になります。
気づいた時点でできるだけ早く本人の悩みを聞き出し、少しでも気持ちを楽にしてあげましょう。速やかに治療すれば、仕事もすぐにしっかりと通常通りに行っていけるのです。

●badな対応

Fさんの不調に気づかず、そのまま仕事を継続させてしまうことです。社内での人間関係や仕事内容、また営業職であればお客様との関係にもどんどん悪影響が出てきてしまう可能性があります。

おそらく家族との関係にも大きな問題が出てきていると思われます。

何も変えようとしないと、最終的には、夫婦の離婚や子供との離別など、生活の基盤が根底から崩れてしまうことになり、実際にそういう事例も多く目にしてきました。
また、本人は仕事にもさっぱり身が入らず、ますます悪化してしまうこともあるのです。

社員の変化に気づき早めの対処をすれば、十分に解決できますので、職場全体で支援していきましょう。
また、リーダーは、部下の異変を決して1人で解決しようと思わずに、会社の専門担当や産業医に速やかに相談してください。

リーダー自身が1人でストレスを溜め込みすぎず、困ったら人に頼ること、また、しっかりと発散させることも大切なんです。

④リーダーの心得（お節介オバチャンからの一言）

ときに私たちも、ストレスが溜まると美味しいものをたくさん食べたり、素敵な洋服や商品をショッピングで衝動買いをしてしまうなど「ストレスのうさ晴らし」をしますが、これが度を越すような回数を継続してしまうようであれば、どこかで断ち切らなくてはいけません。

部下の行動や対応の変化に気づくリーダーだからこそ、一歩踏み込んだ対応で、Fさんを辛い窮状から救い出すことができたんですね。

買い物依存症は比較的女性に多い症状といわれています。男性リーダーは部下が女性社員であるとこういったプライベートな問題に触れてもいいのか、なんとなく遠慮してしまうのですが「なーにをおっしゃる」。リーダーこそが部下の危機をすばやく察知して救済する「お節介オバチャン精神」でいきましょう！

それには日頃から、部下との会話や気づきを大切にしておくことも必要ですよ。

POINT

◉本人の心身不調の症状が「傾向」なのか「病状」であるのかを判断するために、リーダーはできるだけ本人から話を聞き出し、専門医に速やかに繋げましょう。

◉部下の異変に早めに気づけるように、普段からなにか困っていることはないか、職場全体で声かけや支援を。できるだけ早い段階で本人の悩みを聞き出し、少しでも気持ちを楽にしてあげましょう。

◉リーダーは部下の異変に決して1人で解決しようとせず、会社の専門担当や産業医に速やかに相談しましょう。リーダー自身が1人でストレスや問題を抱え込まず、困ったら人に頼ることも大事です。

case7

ガラスのハート症のGさん

普段からそうとうな「緊張しい」で、
人前に立つと話がうまくできない状態。
周囲の環境にも敏感で、他人への叱責であっても
自分の心身が疲れ切ってしまう。

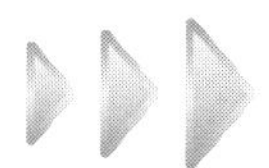

①具体例

Gさんは以前から、人前に出ると緊張してうまくしゃべれない、会議の席では意見を求められても自分の意見がハッキリ言えない、お客様の前では言いたいことが言えずに営業がうまくできないなど、とにかく人と接するのが苦手。本当に気が弱いんです。

入社して3年経過しましたが、仕事はなんとかこなしているものの、この性格は今も全く直っていません。

小さいときから親が過干渉で、なんでも母親が自分の代わりにやってくれました。正直、自分だけで何かをやり遂げたということは、今まで生きてきて、ほとんどなかったかもしれません。その影響もあるのでしょうか、自分がやるぞという積極性が持てないんです。

それでも人のために何かしたいという気持ちだけは、実は強く持っているんです。

コツコツと1人で仕事を進めることは何も問題ないのですが……なぜか人から指摘や注意をされるとそれだけで落ち込みが激しく､今でもビクビクしてしまう毎日です。自分には「社会性」がないのではと悩んでいます。毎日人との対応が、本当に辛いそうです。

②陥りやすいタイプと症状

気持ちは優しく前向きな社員ですが、打たれ弱い、自分の意見を言えない、強く言われると深く傷つく、まさしくガラスのハートのようなタイプです。

普段の会話など1対1の対話では問題はありませんが、会議の席などみんなの前での発言では、緊張して話ができない。

特に上司からの叱責などには深く深く傷つき、立ち直れないほど落ち込む。他の社員が叱責されているときも、まるで自分が言われているかのようにその場にいるのが辛くてたまらない。こういう状態がずっと続いている状態です。

自己表現や思っていることが口に出せず、感情を溜め込みます。やや「不安神経症」の傾向もあるかもしれません。

③goodな対応、badな対応

●goodな対応

部下の性格や傾向をつかみ、仕事内容が「適材適所」になっているかどうかを1つずつ確認していくことです。

本人は仕事に対して今後どうしていきたいのか、今の状態を克服していく意思があるのかどうかなど、リーダーがGさんに聞いておきたいことはたくさんあります。

例えば……。

1．人と関わる仕事が辛いのであれば、他部門などへの異動の希望があるのか。

2．部署よりも仕事の内容が本当に合っているかどうか。

3．気持ちの弱さはどうしてなのか。

4．克服していきたい意思があるかどうか。

このように、相手から話を聞き出す中で本人の「人となり」をつかみ、まずは承認しましょう。

リーダーが協力できること、専門担当に委ねることなどのジャッジができれば本人も安心し、また積極的な努力目標ができるところまで引き上げてあげると「安心できる」場所が確保できます。

また、自己表現法やカウンセリングのセミナーなどを受けてみることで、自分自身を理解し、少しずつ自信がついてくるかもしれません。
さらに職場でも、適材適所を確認して配置することと、周囲の協力体制によって、驚くほど変化できることもあります。

「Gさんは、周囲のことには以前からかなり敏感に反応してしまうように感じてきましたが、どうですか。
今まで職場の中でしんどかったことや、どうしたら自信を持って仕事ができるかを、ぜひ一緒に考えていきませんか。働きやすい職場にしていきましょう」

敏感な反応や対応は決して悪いことではなく、危機管理が良くできていること、また個性の1つでもあることなど、リーダーはGさんの適材適所を一緒に考えてあげるだけです。
リーダーが関わることで、Gさんにとっては、画期的に変わっていけるきっかけにも繋がっていきます。

さらにリーダーに積極的に支援（見守り）をしてもらえることで、本人に自身の行動や態度を客観視していく余裕が生まれます。

また、Gさん自身が、少しずつ「自己肯定感」を持って改善をはかるように「自助努力」をすることも、とても大事なことです。これは必ず自己成長に繋がる大きな一歩になるはずです。

●badな対応

社員個人個人の性格をまったく考えずに、会議や営業の場面や、職場のみんなの前で失敗を大声で叱りつけることを繰り返し、Gさんを刺激させてしまうことです。

そして、「不安神経症」の状態にある本人への配慮もせずに、対応を「放置」してしまうことも良くありません。

また、このような硬直した組織では、職場全体の活気も「生産性」も上がるはずがありません。

思考の違いも千差万別ですが、個性もまた同様であり、職場で同じことを話しても、その伝わり方は1人1人違っているのです。

3年ものあいだずっと我慢し、耐えてきたGさんですから……もしかしたら本人の限界もそろそろ近いのかもしれません。
リーダーが気づいた時点で、解決手段など打つ手はたくさんあるはずです。

④リーダーの心得（お節介オバチャンからの一言）

本編の中でオバチャンが言い続けてきていますが、実は上司のほんのちょっとの声かけだけで、素早く立ち直り、元気によみがえる部下は、驚くほどたくさんいるのです。

お節介オバチャンが直接職場に行って、少々弱っていた社員と向き合うカウンセリングはたったの50分程度ですが、そうとうに落ち込んでいた気持ちをさっと持ち直した社員がどれほどいたことでしょう。

こんな私でさえ最初の面談の際には、緊迫感やちょっとしたスリルとサスペンスの場面は当然あります。ただ、相手の話をすべて聞いてみると、ある分岐点に到達すると突如本人の気持ちが「幸せ感や信頼感」に変化する瞬間が訪れるのです。

ましてや、大いに心配しているリーダーから、Gさんへのほんのちょっとした声かけがあるだけで、驚くほど大きな成果に繋がります。オバチャンは「これは絶対にリーダーが治せる」と声を大にして言いたいのです。

※　今、話題になっているHSP（Highly Sensitive Person）は生まれつき感受性が極めて強く繊細な特性を持つ人がいるということです。もちろん、自分自身の気づきがあればその対処法も自然とできてきます。カウンセリングするだけでも気づきが見えてきますよ。

POINT

◉リーダーは、部下の性格や傾向を把握し、仕事内容が「適材適所」になっているか確認を。同時にGさん本人の今後の希望や、今の状態を克服していく意思があるのかも聞くようにしましょう。

◉リーダーに積極的に支援してもらえることで、Gさん自身が少しずつ「自己肯定感」を持って改善をはかれるよう「自助努力」することで、自己成長に繋がる大きな一歩になるはず。

◉職場内のみんなの前で叱咤や、失敗を叱ることを繰り返すことは厳禁です。Gさんを刺激することにもなり、「不安神経症」の状態に陥らせてしまう可能性があります。

case 8

突然の「適応障害」診断のHさん

辛い問題を抱えていても誰にも相談せず、
病状が悪化して、
突然の「診断書」提出になってしまった状態。
メンタル不調を知られたくない思いが強い。

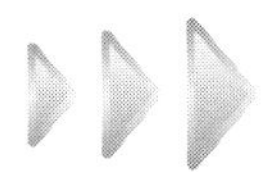

①具体例

いつも元気だったHさんが、今朝、突然診断書を提出してきました。

驚いてその診断書を見ると、「適応障害」という病名とともに、1か月の休養加療が必要だと書かれていました。

具合が悪いと言って休んだこともなく、仕事もしっかりとできていたので、まさかこんな診断が出てくるとは夢にも思っていませんでした。

「適応障害」という病気はいったいどういうものなのか、本人に直接聞いてもいいものなのか。

営業職で10年の経験があり、他の社員との付き合いも良く、お客様もたくさん持っています。何か問題があればよく相談してくれていただけに、とても信じられない気持ちでいっぱいです。

ただ非常に責任感が強く、お客様との対応にかなり苦労していた面はあったかもしれません。

②陥りやすいタイプと症状

職場の人間関係、取引上のお客様とのトラブル、または私生活の問題を抱えているなど、具体的な不適応の理由がある「適応障害」という症状にはメンタル不調になる「原因」が存在します。

1．直接発症の原因となった大きな出来事がある。

2．強いストレスで症状が出てしまい、そのストレスから遠ざけることで治まっていくことが多い（休養治療ですっかり回復できる)。

3．特にメンタル不調の症状が出やすい性格というわけではない。

おおまかに言えばこういう状態だと言えます。

まずは、リーダーはあわてずに本人と向き合い、こうなった経緯を確認しましょう。あとは専門医やカウンセラーと連携して、ゆっくりと休養しながら治療を行うように本人に話していきましょう。原因がわかれば回復も早いのです。

③goodな対応、badな対応

●goodな対応

まずはリーダーがHさんから今までの経緯について、落ち着いて静かに聞いてあげることでしょう。

特に男性は、自分の悩みや問題を人に相談せず、1人で抱えてしまうケースが多いです。

普段はなんでも相談できても、特にプライベートな悩みを抱えていると、会社にも家族にも言うことができず、我慢に我慢を重ねていつしか心身に不調が出てしまうことが多いのです。

私が職場を巡回して、職場での全員カウンセリングを行ってみると、7：3あるいは8：2（男女比）の割合で男性のほうが相談もできず、問題や悩みを1人で抱えていることが多かったのです。面談で信頼関係ができると、とたんにせきを切ったように話し始めてくれるのも男性の特徴でした。

リーダーから、例えばこんな話をしてもらえたら……。

「Hさん、今までリーダーとしてあなたが抱えている問題に少しも気づかずにきてしまっていたこと、本当に申し訳なかったと思っている。良ければ今までのことを少し話してもらえないだろうか。ここで聞いたことは口外しないし、また症状のことなどで、Hさんがどうしてほしいかを聞いた上で、判断していくので安心してほしい」

ずっと迷惑をかけてはいけないと封印していた本当の原因を話してもらうことで、Hさんもリーダー自身も必ずホッとできると思います。

例にあげたHさんの場合は、自分の両親の認知症や介護の問題で休日も返上して奔走する日々が続き、仕事面でも集中力が続かなくなり、心療内科を受診したという経緯がありました。最近では比較的多いプライベートな相談内容でもあります。

メンタル不調の診断書が提出された場合、リーダーが職場で社員に報告する際には十分注意を払い、どう話したらいいかもきちんと本人と協議した上で報告をすること。これもHさんができるだけ速やかに職場に戻れるための大切な配慮でもあります。

休んでいるあいだも、報告の時期をあらかじめ決めておいて、定期的に連絡をもらえるように依頼をしましょう。

また、単身での寮住まい、家族と離れている場合には、必ず自宅に戻って療養してもらうようにしましょう。

安心できる家族と会話し、生活を安定させることで、こういう症状はみるみるうちに改善していきます。

●badな対応

Hさんのメンタル不調の理由を何も聞かずに休ませてしまうことです。

リーダーとして、必ず知っておかなくてはならない部下の現状を何も知ろうとしない態度ではいけません。

また、病名や、そうなった原因についての知識を持たずに対応することもダメな対応になります。

誰しも、順風満帆な人生ばかりではありません。
逆風に負けそうになったり、問題が多発してしまう時期もあったりします。そんなときに、リーダーがそっと手を差し伸べてくれたら、どんなにありがたいことか……！

その後の病状については専門家に委ねればいいし、経過報告で回復具合を聞くだけで良いとは思いますが、それでも部下の辛い心情を察し、安心して休めるような配慮をすることは、リーダーにとって、とても大切な役目でもあります。

特に、家族の介護問題は、今後もさまざまな問題が出てくる可能性もあり、本当に長い目での見守りが必要になってきます。
復職したあとも、声かけや話を聞くなどの優しい支援だけでもHさんは感謝するでしょうし、その後の本人のモチベーションも継続できると思います。

「無関心」こそが最大にbadな対応です。公私に社会人として、また、家庭人としても人生を歩んでいるのがHさんであることを必ず忘れずにいてほしいのです。
そしていつも部下の相談に乗るだけではなく、リーダー自身も時には、自分の悩みを職場の仲間に聞いてもらうことも大事だと思います。自己開示のできるリーダーは信頼されます。

また、リーダー自身が悩みを抱え、感情の「吐き出し」がしにくいとも思っています。そのようなときには、カウンセラーであるお節介オバチャンをどうぞ頼ってくださいね。

④リーダーの心得（お節介オバチャンからの一言）

いきなり部下から診断書を提出されることは、リーダーとしては本当に戸惑ってしまうし、大変ショッキングな出来事ですよね。

いくら風通し良く職場を整えていても、なかなか言い出せないタイプの人もいますし、それも部下それぞれの「個性」なのです。

「心では戸惑っていても、見た目には表さず落ちついた」対応のできるリーダーは、本当に素晴らしいと私は思っています。
そして、本人から聞き取ったことをお節介オバチャンに相談すれば良い、つまり会社の医療専門担当にしっかり繋げば良いだけのことです。

病を経てわかることもあるのは、Hさんもリーダーも同じことですね。

共に状態を理解し、本人が速やかに回復を目指すことを見守り、再発させないように復職させれば良い、ただそれだけのことなのですよ。診断書名を見ても決してあわてませんように。

POINT

◉まずはリーダーがHさんから今までの経緯について、落ち着いて静かに聞くようにしましょう。部下の辛い心情を察し、安心して休めるような配慮も必要です。

◉リーダー自身も、いつも部下の悩みや相談に乗るだけでなく、自身の悩みを職場の仲間に聞いてもらうことも大事です。自己開示できるリーダーは信頼されます。

case9

お局泣かされ症のIさん

ベテラン社員が思い通りに牛耳ってきた職場に
新任リーダーが赴任し、
マネジメントが全然できない状態。
職場の社員も全員あきらめムード。

①具体例

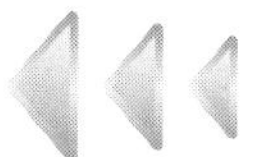

Iさんは入社以来、営業の仕事を真面目に一生懸命こなしてきました。
進んで現場に行き、作業担当者たちと一緒に汗を流して、すべての仕事を覚えようと人一倍努力してきました。

そして、同期の中でも異例の早さで所長になることができて、家族も周囲もみんな喜んでくれました。
自宅からかなり離れた地域の営業所を任されることになり、初めての単身生活、寮住まいとなりました。
期待も不安もありましたが、何より「ようし、やってやろう」という思いが強かった。支店長からも「期待しているぞ」と声をかけられ、初赴任の日となりました。

ところが……です。赴任して早々に、ベテラン女性社員から「前の所長はこれもそれもみんなやってくれていた。今度の所長はどのようにやってくれるんですか」とすごい剣幕でまくしたてられた。非常に驚いたものの、「自分はまだ赴任したばかりなので、いろいろと教えてほしい」と話すと、彼女はいったん落ち着きました。

しかし次の日から、仕事の割り振りを所員と一緒に考えて作っていこうとすると、彼女は「なぜ、私たちがそんなことまでしなければならないのですか。それは所長が考えればいいことでしょう」と会議の席でも堂々と発言し、聞く耳を持たない。
定時が来るとまだ他の後輩たちの仕事が終わっていないのに、サッサと帰る。新しい仕事をまったく覚えようとしない。

面倒な仕事は後輩に押し付けるなど、彼女はやりたい放題のペースでずっと仕事を行っている状態でした。

どれだけ注意しても改めようとしない。Iさんが赴任する前の所長に電話をして、「今度の所長はダメなんですよ」などと平気で話している始末。

他の社員は所長としての自分を立てて、フォローしてくれるものの、これでは全員の協力体制ができるはずがありません。

仕事を終えて寮に帰っても話す相手もいないし、家族にも相談はできない。

最初は張り切って立てた業務計画もいつの間にか頓挫し、朝、営業所に行くのも辛くなってきました。

頭の中では、たかが1人のベテラン社員に振り回されていることは理解できていても、実際は現場のお局社員の雰囲気にすっかり呑まれてしまって、かなりしんどい状態で辛いです。

②陥りやすいタイプと症状

念願の昇進が叶い、リーダーとして初めて心を躍らせて赴任したIさんでしたが、とんでもない「お局社員」がすでにその組織を牛耳っていた……という状況でした。新任所長への洗礼としてはかなり過酷な状況かもしれません。

最初はなんとかしなければと、お局社員の話や他の社員の話を聞いて懸命に対応しようと行動していました。しかし、すでに前任の所長のときに、お局社員を中心に組織がまとまっていた状況です。他の社員もその状況に黙ってついてきていて、職場が出来上がっているのです。

新しくいろいろなことを始めたいというIさんに対して、職場全体が「新しいことを受け入れない」ムードになってしまっているのです。

応援してくれる家族や仲間と離れていることもあり、いつの間にか「孤軍奮闘」。1人で向き合うことになってしまったIさん。生活時間が安定せず、このまま職場の悩みを抱えたままにしておくと、「睡眠障害」や「不安障害」などの症状が出てしまうかもしれません。

③goodな対応、badな対応

●goodな対応

リーダーとして、自分1人でなんとかしようと思わないことです。

すでにこのような環境が出来上がってしまっているのですから、これを変えていくことは、なかなか困難な道のりとなります。

まずは、部下の社員全員と面談を行い、それぞれの仕事や職場の状況などをゆっくりと聞いてみましょう。

1人1人の考えや思いをじっくりと聞いてみることで、リーダーも社員もそれぞれが「お互いを知る」ことになります。思わぬ収穫もたくさん出てくるかもしれません。

また、職場の中では、この勘違いしているお局社員が猛威を振るわないよう、相手の懐に入って、落ち着いてその言動を観察しましょう。

頭ごなしのダメ出しは余計に問題を大きくしますので、最初は肯定し、相手の言い分を聞くこと。そして、他の社員にも平等に仕事を割り振り、「一極集中型」の指示にさせないこと。

また、お局社員がこのような言動をするようになってしまったのは、いまだに前所長との繋がりを大事にしていることが大きいのかもしれませんね。

組織がもっと良くなるためのアドバイスであればいいのですが……。
「特定の相手へのえこひいき」的な内容でしたら、キッパリと仕事とは切り離していきましょう。

この問題に関しては、1つの営業所だけの問題ではありません。守秘を依頼しながら、一度上司に相談してみることも大事だと思います。
実際にこの問題をリーダーのIさんから相談されたときには、Iさんの心身状態もかなり危うかったので、まずは回復するまで少し休んでもらいました。

その間に、支部全体を統括する上司にもこのいきさつについて事情を話し、Iさんが復帰するまでに、少し組織を改善してもらいました。

ベテラン社員の存在には、長らく職場環境が変わらない良さもありますが、弊害もかなり大きいと思います。彼女には、初めての「職場異動」をしてもらいました。
それぞれが新たな環境に身を置くことで見えてくるものがあります。この判断にも、組織のリーダーの采配と決断が非常に大切になってきます。

仲介役として、お節介オバチャンのカウンセリングも一役買いました。
でもそんな存在がいなくても、リーダーの思いやりと改善力、そして組織の協力体制によって、もちろん解決は可能です。

後日、改めてIさんが率いる営業所に出向いたところ、朝礼は全員の明るい挨拶から始まっていました。どの社員も伸び伸びと行動していて、Iさんのリーダーシップによる見事な「組織再生」ができていました。

●badな対応

Iさんの心の叫びに周囲も支部もまったく耳を貸さないことです。自分の組織は自分でなんとかしろという傍観者的な対応をしてしまうことです。

お局社員が中心の傍若無人さが、ますます助長されてしまうことになります。営業所の社員についても「何も変わらない不自由さ」に辟易し、異動や退職希望に繋がってしまう危険性もあります。

風通しが悪く「雰囲気の暗い職場」に陥らないよう、リーダーのIさんを孤立無援にさせない対応力が早急に必要なのです。

④リーダーの心得（お節介オバチャンからの一言）

リーダーであるあなたが、チーム一丸で行うマネジメントを目指せば、必ず道は開けていきます。

そのためにもリーダー自身が自分1人で抱え込まず、必ず周囲を巻き込んだ協力体制を作っていきましょう。

さらに新任リーダーであれば、必ず自分の上司に相談しながら、自分が思い描く素晴らしいチームを作るという信念を貫くことです！

リーダーのためのお手伝いは、第3者のお節介オバチャンもかなり尽力してきました。つまり管理者こそ話を聴いてもらえるカウンセラーの存在は大きいのです。この経験が新任リーダーIさんの大きな成長に繋がったのは、間違いありません。

POINT

◉部下の社員全員と面談を行い、それぞれの仕事や職場の状況などをヒアリング。お局社員が猛威を振るわないよう、相手の懐に入って言動を観察、本人の言い分も聞くこと。その後他の社員にも平等に仕事を割り振りましょう。

◉リーダーは自分1人でなんとかしようと思わないこと。リーダーが孤立無援の状態にならないよう周囲を巻き込んで協力体制を作りましょう。

case 10

介護と仕事の板挟みのＪさん

念願の仕事に就けたが、
家族の介護問題を新たに抱えてしまった状態。
両立しようとしても心身疲労が溜まって、
不安が募るばかり。

①具体例

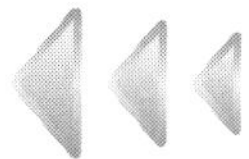

Jさんは、最近、自分が一番やってみたかった仕事の募集を見つけたので、思い切って応募することにしました。その後、面接を受けて合格、採用が決まり、あっという間に無事に転職することができました。本当に夢のようで、すごく嬉しかったそうです。

念願の仕事に就くことができ、頑張っていた矢先、実家から1本の電話がかかってきました。Jさんの母親が「認知症」になったという知らせでした。

長男であるJさんは急いで実家にかけつけ、早速母親の治療を行いましたが、残念ながら症状は進行するばかり。あんなに優しい母が次第に周囲に暴言を吐いたり、暴力を振るうようになってしまい、やむなく施設への入居を考えるようになりました。

仕事もそうとうに忙しく、家庭の事情を上司に報告することもためらわれ、なんとか両方をこなしてきましたが、もう限界です。

夜もなかなか寝付けず、夜中に何度も目が覚めてしまう。仕事も集中力が途切れてしまい、依頼された仕事の受注に間に合わないことが続き、このままでいいのかと、今は不安でいっぱいになっています。

②陥りやすいタイプと症状

新しい職場に転職したばかりで、「仕事ができる人が入社してくれた」と周囲の期待も大きい中、自分の家庭の事情などは今はとても相談などできないと、本人はすっかり思い込んでしまっています。

生真面目で仕事熱心、また長男として実家の父母を守るという使命感も強いタイプです。

しかし、今の状況は「抑うつ状態」になっており、このままでは新しい仕事も自分の家族も到底守っていくことはできません。

③goodな対応、badな対応

●goodな対応

Jさんの窮状をリーダーがしっかりと聞き取ることです。

明らかに、職場生活の中での「普段と違う行動や状態」があるようですので、まずはJさんを呼んでじっくり話を聞いてあげること。
中途入社して間もなく、職場で過ごす日が浅いために、自分の困っていることを切り出せないでいる状況だと思います。

仕事以外の悩みは、相手が話さない限りは気づきにくいものですが、日頃からコミュニケーションを取っていれば、本音で語り、何かあれば気軽にリーダーに相談しやすくなります。

「Jさんの事情はよくわかりました。今まで仕事と親の介護の両方をよく頑張ってきたと思います。でもこのままではJさん自身がまいってしまうし、家族にも仕事にも大きな影響が出てしまいます。
今後については、会社の介護休暇や健康問題などを一緒に考えて進めていきましょう」

このケースの場合は、入社1年未満の社員だったので、介護休暇の取得はできませんでしたが、心療内科を受診して1か月の休養加療となりました。薬の処方をもらってJさん自身、心身を休めながら、ケアマネージャーとも相談し、母親を実家から近い認知症専門の施設に入れることができました。
　また、父親と一緒に、施設にいる母親の様子を見にいくなど、ようやく介護の問題も一段落することができました。

●badな対応

　職場での本人の状態の変化に気づかず、見逃してしまうことです。リーダーも周囲の社員も気づかずにそのままにしておくと、メンタル不調はどんどん進行してしまいます。

　本人を取り巻く生活環境や家族状況にも変化があり、それは仕事にも大きな影響を与えてしまいます。

　特に、子育てや家族の健康面での問題は、働く社員にとっても大きな負担となるので、悩みを相談しやすい環境を整える必要があります。

　中途入社の社員で、いくら業務の専門家であっても、その職場では新人なのです。相手の行動の変化や表情などに気を配る必要があります。

④リーダーの心得（お節介オバチャンからの一言）

専門家のプロ集団であるあなたのチームに新たなメンバーが加わりました。

さらに強靭な一枚岩になるために、リーダーのあなたがすべきことはなんでしょうか。

部下である社員の心身状態を整えることは、非常に大事なミッションになっています。

社員へのちょっとした配慮や声かけを心がけるだけで、業務の原動力をさらにアップできるはずです！

お節介オバチャンは、すぐさまJさんの窮状をトップリーダーに伝え、心療内科にも同行しました。生活習慣病予防のように、時間をかけて改善するものではなく、不調がでたらすぐに病院受診、休ませるといったタイムリーな対応が求められるのですよ。

POINT

◉Jさんの窮状をリーダーがしっかりと聞き取る。中途入社の社員は、業務では専門家でもその職場では新人です。相手の行動の変化や表情などに気を配りましょう。

◉仕事以外の悩みは、本人が話さない限り気づきにくいため、リーダーは日頃からコミュニケーションを取り何かあれば相談しやすい関係性を築いておくことも大事です。

case11

ベテラン
メランコリー症の
Kさん

心身疲労や不調和が続き、「更年期症状」に悩む状態。
なんとか立ち向かいたいが、
今までのようなモチベーションも
元気もさっぱり上がってこない。

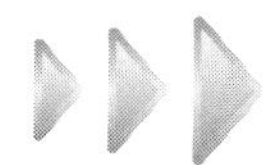

①具体例

Kさんは、この仕事に就いて、もう30年以上が経ちます。

今では職場で超ベテラン社員として新人教育全般を任されたり、チーフとして多くの部下を束ねてきたり、長い年月をかけてそれなりに頑張ってきたつもりです。

みんなが敬遠する細かなデータ分析もコツコツと積み上げ、自分の業績もしっかりと上げてきて、チームにも貢献してきました。

ところが、ここ最近はどうもその情熱が薄れ、身体もだるくて倦怠感が続き、今までのような気力や元気が出てきません。

最近では、会社に行くこともだんだんきつくなっており、朝の目覚めもスッキリしません。これが俗に言う「更年期症状」なのかと考えています。

休みの日は出かける気もまったく起きず、1人で家でぼんやりとしており、人と会話をするのも非常に苦痛になってきています。

②陥りやすいタイプと症状

仕事も順調でそれなりのポストについており、外から見ると順風満帆、なんの問題もないように思われています。しかし、本人の心身疲労やモチベーションは下がっており、どうも「やる気」が起きない状態です。

男女ともだいたい45～55歳の時期を「更年期」と呼び、体内の性ホルモンの減少により、メンタル面に変化が起きやすい時期でもあります。

またあるいは、長年仕事に打ち込み、成績や昇進にも満足してしまった「燃え尽き症候群」の傾向もあるかもしれません。

「もうこれ以上、打ち込むものが見つからない。仕事も家庭もやりたかったことがすべて叶ってしまい、やり尽くしてしまっている」

かつてカウンセリングに来所された経営幹部の方から、このように相談されたこともありました。

③goodな対応、badな対応

●goodな対応

リーダーは最近元気のないKさんに気づいたら、できるだけ速やかに「健康面」や「メンタル面」の確認をしましょう。

1. 心身面で不調があるようであれば、すぐに医療と連携して早めに治療をしてもらうこと。

2. もし仕事上のことや職場の問題など、普段Kさんがなかなか言えずに我慢してきた内容が出てきたら、まずは業務の軽減といった対応を行い、様子見をしましょう。

モチベーションが極端に落ちていたり、集中力がなくなっているときには、なるべく早めに手を打たないと、ますます悪化してしまうので要注意。

心身状態が回復すれば、また「やる気スイッチ」が入るので、焦らずに仕事の進捗の様子を見ましょう。リーダーのマネジメント采配がKさんを救います。

●badな対応

Kさんの窮状に全く気づかず、たくさんの業務を指示してしまうことです。すでに仕事面で飽和状態になっているのに、これ以上の負荷は相当にきついはずです。

集中力もなくなり、不安な状態では効率良く仕事を行うことなどまったくできません。ますます落ち込み、会社に来ること自体が苦痛になってしまうと、症状は益々進行し今後回復するまでにはかなりの時間がかかってしまいます。

気づいたら早めの対応こそがリーダーの鉄則ですネ。

④リーダーの心得（お節介オバチャンからの一言）

長年仕事をしてきたベテラン社員であっても、大きな波が来て越えられないことも、時には出てきてしまうでしょう。また年を重ねるにしたがって新たに起きてくる心身の不調もあります。

そういうときこそ、リーダーであるあなたが、個々の部下の様子を見ながら適切で温かな指示を出すことで、チームの結束はさらに固まっていきますね。

更年期症状は、男女共にあり、また、個人差もあります。
その頃に、「リフレッシュ休暇」などベテラン社員への労いも込めて、企業での福利厚生の仕組みがあればどんどん活用し、疲れた心身への労りを行うことなども大切なのです。

Kさんがベストなコンディションへと回復できるよう、リーダーの采配でさらにしなやかなチームビルディングの体制へと導いていきましょう！

POINT

◉Kさんの窮状に気づかず、たくさんの業務を指示してしまうと、すでに仕事面で飽和状態に陥っているのに、さらに負荷をかけることになります。集中力もなくなり、仕事の効率も悪化すると出社すること自体が苦痛になり、回復にも時間がかかります。

◉リーダーはKさんの様子の異変に気づいたら、できるだけ速やかに「健康面」や「メンタル面」の確認をしましょう。

case12

いろいろな
職場を回遊して
きたLさん

さまざまな部署への異動が続き、
心身共に疲労している状態。
業務経験が積める反面、
なぜ自分だけがじっくり仕事ができないのかと
本人の悩みは深まるばかり。

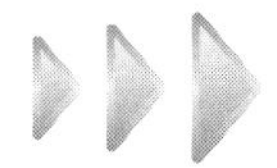

①具体例

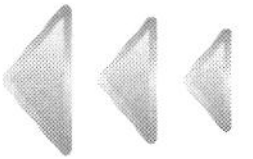

Lさんは入社以来、1つの部署に落ち着いたことがありません。

最初は営業部に2年、次に企画部に2年、その後、経理部・総務部を経て、今は……もう一度営業部に戻ってきました。

なぜ自分だけが、2、3年でコロコロと異動させられるのか。

他の社員を見ていると、長い人だと10年以上も同じ仕事に就いている人がいるのに……。新しい仕事をやっと覚えたころに、次の異動辞令が出てしまうので、どうしてもやる気が出ない状態です。

異動が多いせいか、職場の同僚とも馴染めずに、仲間との繋がりもなかなかできなくて本当に寂しい気持ちです。

遠方への異動も多く、その度に引っ越しもあって、きついんです。

もう、仕事を辞めてしまおうかなあ……と考えています。

②陥りやすいタイプと症状

仕事の関係で、2、3年で業務が変わるケースもあります。例えば、福島の原発近くの職場では、健康上、一定期間での異動をさせることもありました。

Lさんの場合は、どういう理由で異動が多いのか。

もしも、人との関係をうまく築くことができない、外回りでお客様とのやりとりに問題があった、細かな数字を扱うことが極端に不得手、仕事の段取りや優先順位などがまったくできずにいた、などが直接の原因であったならば、少々「発達障害」の傾向がある可能性もあるのかもしれません。

この問題は、果して本人の病状なのか、本人自身の資質によるものなのか、あるいは会社都合だったのか。Lさんとしっかりと向き合って様子を見ていかないと、根本原因がしっかりとつかめませんね。

③goodな対応、badな対応

●goodな対応

Lさん本人が、大きな不安を抱えていることを理解し、まずは真摯に向き合うということが一番大切です。

仕事面では、

1．今までの業務で得意なこと、誰にも負けないことは何か。

2．どうしても失敗してしまうこと、不得意なことは何か。

など、仕事上での成功や失敗の体験などを1つ1つ洗い出し、その上で、今の自分たちのチームで何に一番貢献できるのかを話し合ってほしいのです。

Lさん自身の業務経験を武器に、これからの仕事の進め方やチームへの貢献の仕方を決めていきましょう。不得意なところは、どう補ってあげればできるようになるのかを聞き出していくことで、さらにLさんのやる気を高めます。

その上で、メンタル面での傾向・症状があるようならば、医療と連携して状態を確認します。「発達障害」の傾向があれば、その症状に合わせた仕事のやり方を考え、会社に報告・連絡・相談をしながら決めていきます。

資質と症状の線引きによる進め方で、Kさんも安心して業務に打ち込めます。

●badな対応

この問題に対してLさん自身としっかりと向き合わずに、以前のリーダー同士の申し送りをうのみにして、「彼は仕事ができない」というレッテルを貼ってしまうことがbadな対応です。

もし、以前の職場が相当多忙であり、次々とやってくる仕事の依頼に追われていたとします。上司は個々の社員の対応に目を配らず、仕事が遅いと判断し今までLさんが低く評価されてきていたのかもしれません。

リーダーが、Lさんを貴重な戦力として、チーム全体で叱咤激励のできる体制作りを行えば、Lさんも仕事が継続できるように変わっていけるかもしれません。

④リーダーの心得（お節介オバチャンからの一言）

さまざまな職場を経験し貴重な学びをしてきたLさんであれば、病状はともかくとして、経験や苦労を乗り越えてきたからこその「ストレス耐性」も必ず身についているはずです。

リーダーとしてあなたが率いる今の職場でこそ、Lさんがもっとも大きく生まれ変わることができるチャンスです。

余談ですが……お節介オバチャンが受けた本人からの相談では、新卒で入社した社員として、キャリアを積み、仕事ぶりも優秀でした。ただ、職場では他部署で欠員がでるとその補充要員として、何度も異動してきた経緯がありました。これでは本人のモチベーションは下がる一方です。

そこで今後のマネジメントの在り方をトップリーダーと意見具申を致しました。部下のキャリア形成もリーダーの大切なお役目なんです。Lさんは今、落ちついて業務をこなし、リーダーになることができました。

POINT

◉Lさん本人が、大きな不安を抱えていることを理解し、真摯に向き合うことが大事です。仕事上での成功や失敗の体験などを洗い出し、チームへの貢献の仕方を決めていきましょう。

◉不得意な部分は、どう補ってあげればできるようになるのかを聞き、Lさんのやる気を高めるようにしましょう。

case13

新職場に不安症のMさん

期待の新人として配属されたが、
簡単な業務もうまくできずに自信を喪失した状態。
仕事の優先順位や依頼事項の真意などが
まったく理解できない。

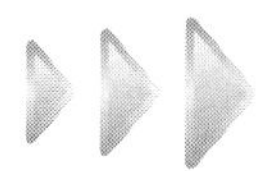

①具体例

Mさんは、有名な大学を卒業し、とても良い会社に入ることができたと喜んでいました。

4月からの研修では、同期の仲間の中でもかなり良い成績を修めることができ一安心。配属は本社の管理部門や広報部などを希望していました。

でも実際の配属先は地方の営業所。1人で何役もこなさなければならない現場の仕事でした。そこで初めての1人暮らしになりました。

気持ちを切り替え、張り切って実際に仕事に就いてみると、簡単な仕事の依頼ではあっても、次々と受注の電話や来社の対応が入る多忙な職場でした。

忙しすぎて最初の依頼を忘れたり、聞いていたはずのお客様の名前がぜんぜん思い出せなかったりと小さなミスの連続で、すっかり自信を失いました。

配属されて3か月経ちましたが、このままでは営業所のみんなの足を私1人が引っ張ってしまうようで、今は毎日出勤するのがかなり辛くなっています。

②陥りやすいタイプと症状

優秀な新卒社員として入社してきたものの、実務をやってみると「こんなはずではなかった」というくらい、言われたことや頼まれたことが思うようにできない……。

IQが高く、プライドも高い、失敗をしたことがない、というタイプであっても、優先順位がつけられない、社員の名前が覚えられない、何かを1つ覚えると、最初に覚えた1つが抜けていってしまう状態の新卒社員たちと、何人か面談したことがあります。

彼ら彼女らの言動を観察していくと、少々「発達障害」の傾向がありました。

自覚症状があれば、病院で診断してもらうことで、以前の状態について本人自身の理解や納得感が深まったりもします。

③goodな対応、badな対応

●goodな対応

Mさんの対応ぶりを観察し、メンター（世話係）である先輩社員から報告をもらって状況判断をしておきます。その後、リーダーはMさんと話をして、本人から思いを直接聞き取りましょう。

1. 緊張によるミスが多いのであれば、本人の心を落ち着かせて、複数の業務からできる範囲に絞りましょう。まずはミスのない行動を何度も行わせて、「成功体験」をさせ、自ら改善する能力を確認させましょう。

2. たとえ成績が優秀であっても、実際の業務に就かせて3か月経っても一向にミスの回数が減らない、同じミスを繰り返すなど、本人が懸命に努力しても改善の見込みがない場合は、その間の行動記録を残しておきましょう。

その後、本人と人事担当を入れて三者で協議し、今後の対応を一緒に考えていきましょう。

IQが高いことと、社会性の高い仕事ができることは別物です。自分は仕事ができると思って業務に就いても、普通の行動がなかなかできない状態になると、何より本人が辛い思いをします。

また、このようなことは若手社員に多い事例でもあります。

適性に見合った仕事の提案をしてあげれば、本人も決して無理をすることなく、自分に合った仕事の配置をすることができます。

「Mさん、配属されてから一生懸命仕事に取り組んでもらっているけど、何か困っていること、相談したいことはないだろうか」

リーダーがさりげなく本人にそう問いかけてあげたら、辛かったMさんもだいぶ安心しますね。優しい心で接してあげましょう。

●badな対応

職場での対応を冷たくしてしまうことが一番の問題ですね。

「まだ覚えられないのかな」
「人事部は優秀な新人だと言っていたのに」
「教えても教えても、ちっとも覚えてくれない」
「面倒だから声をかけないでおこう」

こんな会話や雰囲気が営業所内に蔓延したら、Mさんはもう仕事に来られなくなってしまうでしょう。決してふざけていたり、いい加減な気持ちでいたりして業務ができないのではないのですから。

先輩社員や同僚がそんな会話をしていても、指導せずにそのままにしておくことで、温かみのない、なんとも冷たい空気が流れる職場になってしまうのです。

④リーダーの心得（お節介オバチャンからの一言）

お節介オバチャンは、新人が配属された後、巡回面談でその地に訪れることもあります。

すでに人事担当が面談し「大丈夫」と言っていたのに、オバチャンが行くとポロポロ泣きだし「本音は辛いんです」と話してくれました。抑うつ状態であれば、すぐに自宅に戻し、病院を受診させるなど早い対応も行えます。

リーダーは、本来のリーダーシップの確立のためにも上手に第三者に依頼し、使い分けることも大切なんですよ。

どんなタイプの社員であっても、大切な部下の1人です。

もちろん良いところもたくさんあり、また、適切な指導によって大きく成長できることも多いのです。

今回のケースは、学生時代にはわからなかったことが、仕事を行っていく中で明らかになったものであり、リーダーが知っておいてほしい知識の1つでもあります。

得意な分野と不得意な分野、その凸凹こそが個人の個性でもあり、部下の特性でもあります。

リーダーがさらに部下を成長させることで、自分らしい組織作りに繋がっていきますよ！

「みんな違ってみんないい」詩人の金子みすゞの心境でまいりましょう。

POINT

◉リーダーは、新入社員のMさんの仕事ぶりを、メンターである先輩社員から定期的に報告をあげてもらい、状況を把握しておきましょう。

◉メンター社員からの報告をもとに、Mさん本人からも状況をヒアリング、その後、人事担当者も含めて三者で適正に見合った仕事の提案など、今後の対応を協議するようにしましょう。

◉Mさんが業務ができないのは決していい加減な気持ちからではないことを理解し、先輩社員や同僚含め温かい対応ができる環境づくりにもリーダーは配慮しましょう。

case 14

ネット依存症のNさん

単身生活の寂しさから、
気づけばネットゲームにはまり、
生活の中心になっている状態。
仕事でも普段の生活でも、
ネット依存の影響がそうとうに大きい。

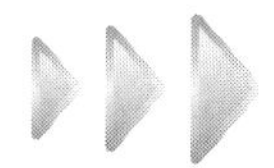

①具体例

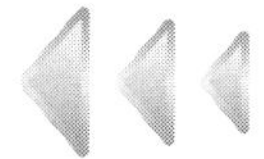

Nさんは、初めての就職のために親元を離れ、1人で関東に出て来ました。会社の近くにアパートを決めて、新しい仕事も始まりました。何もかもが初めての経験で、実はその環境にもなかなかなじめずにいました。

また地元を初めて離れて、知り合いも親しい友達もいなかったので、仕事以外では誰とも話す機会がありませんでした。

実は、学生時代から自分のスマホやタブレットを使って、1人でネットやゲームをすることが大好きでした。夢中になると1日中、画面の前にいることも多かったのです。注意する親もいない上に、地元の親しい友達ともゲームで繋がっていたので、ますますゲームにのめり込むようになりました。

1人で過ごす時間が長く、最近はアパートにまっすぐ帰ると、食事・お風呂以外はすべてネットやゲームに没頭する時間になってしまっています。
生活も不規則になり、夜中まで起きるようになって睡眠時間も短くなり、疲労も溜まって、最近はたまに仕事中にボーッとすることもあります。

新しい友人はゲームを通して知り合った人ばかりで、ネットの中での会話が多く、休みの日も、外で人と話すのが少しずつ億劫になっています。頭では「このままではいけない」と思っていても、家に帰ると1人なので、どうしてもこの状態から抜け出すことができません。

②陥りやすいタイプと症状

これは完全に「ネットやゲームの依存症」になっている状態です。

1人暮らしで親元や友人の元を離れ、生活も環境も一変して、寂しい心の変化の穴埋めのために、元々好きだったゲームなどにいっそうのめり込んでしまっている状態です。

このままではメンタルも生活も破綻してしまう、極めてまずい状態だと言えます。

心からゲームを楽しんでいるのではなく寂しさの穴埋めのために依存していく、1人暮らしで仕事以外に人との会話もない状態は、極めて危ない環境でもあります。「デジタル認知症[※1]」や「デジタル時差ボケ[※2]」などもネット依存症の一種になります。

※1　スマホ、PCの使いすぎによる認知症と同じような症状が発生する状態
※2　スマホを四六時中見ていることで起きる睡眠障害

③goodな対応、badな対応

●goodな対応

職場で感じる最近のNさんの行動の変化に気づくことです。

1．遅刻・休みが多い。特に週明けの月曜日や、連休明けの日に起きられない状態。

2．仕事での細かいミス、集中力の欠如、目の輝きの変化（うつろになっている、目力が弱くなった、目つきが鋭くて落ち着きがなくなったなど）。

上記のような気づきがあれば、本人からの面談希望を待たずに、リーダーからNさんに直接話を聞きましょう。そして、明らかにゲーム依存症などの疑いがあれば、すぐに社内の医療担当と連携するか、外部の医療機関へと繋いでいきましょう。

また、1人暮らしのままでNさんに会社を休ませることも、依存症にとっては非常にまずい環境になりますので、まずは実家や家族のいるところに帰しましょう。
必ずコミュニケーションの取れる場所で療養をさせて、1人にさせない配慮が大切です。また、医療機関での適切な治療は、本人を依存症から抜けさせるための対応にもなりますので、必ず連携を取りましょう。

「Nさん、最近の会社での様子を見ていて、すごく元気がないので心配していたんだ。話を聞いて、今はどういう環境で過ごしているのかがわかったので良かった。そのゲーム依存は必ず治るので、自分自身で回復を信じて、生活の見直しとしっかり治療することを優先していこう」

リーダーの指導は、とても大切な指標になります。

●badな対応

職場での本人の変化や疲労度に気づかず、本人と話すことを怠ってしまうことです。

このまま依存症が重くなってくると、心身状態の不調から、「いっそ楽になりたい」といった衝動が生じることも考えられます。脳の萎縮なども考えられますので、短絡的な行動をしたり、「うつ状態」になってしまうこともあります。

Nさんは1人暮らしです。家族・友人とも離れており、会社だけがリアルな人付き合いのできる環境なのです。

リーダーの役割がより問われる場面であり、若手社員を中心に今後も増えていく現象の1つです。仕事の場面では見えないプライベートの部分ではありますが、キッパリと善悪や公私のけじめをつけさせていきましょう。

入院して依存症を抑える治療もあります。医師との連携が欠かせませんが、職場復職を視野に入れながらの回復への声かけは、今後への大切な命づなでもあります。本人の了解のもとに家族にも報告・相談していくことも大事です。

④リーダーの心得（お節介オバチャンからの一言）

「Nさんは、新たな生活環境についていけず、それがいつの間にかネットやゲームへとのめり込んでいってしまったんですね。でも、それは誰にでも起きることでもあるし、必ず普段の生活に戻っていこう。今回は、とても言いにくいことをきちんと話してくれてありがとう。

本当はもっと前に、自分がNさんの変化に気づいて声かけをしてあげれば良かったんだと思っています。

でも、これからはしっかりと治してほしい。そして早くいつものNさんに戻って元気に出社できるようにさせたい。これからは一緒に協力していくからね」

決して部下を責めず、相手の話を尊重して伴走していくのがリーダーの心得です。

ただ依存症は、再発もありえます。短絡的な行動を取らせないよう、できれば単身生活から、家族のいる自宅に戻らせての復職も大事なポイントになります。1人にさせない、誰かが見ている環境がとても大事なのです。

本人の「社会性」への成長を促すリーダーの熱き思いは、必ずNさんに伝わります！

POINT

◉Nさんの行動の変化に早めに気づくようにしましょう。遅刻・欠席が多くないか、休み明けの出社日の様子には注意しましょう。また、細かいミス、集中力の欠如、目の輝きなども要観察です。気になる部分があれば、リーダーから直接本人に話を聞くようにしましょう。

◉必ずコミュニケーションが取れる場所で療養させ、家族がいる場所など1人にさせない配慮が大切です。医療機関での適切な治療は依存症から抜け出すためにも必要な対処です。

◉キッパリと善悪や公私のけじめをつけることができるように、リーダーの指導が重要です。

case15

同僚の無視無視作戦に敗北したOさん

ベテラン社員が、異動してきた同僚が気に入らないと、
本人だけを無視する態度を取り、
また周囲にも同じような問題行動を
強制している状態。

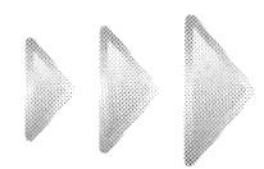

①具体例

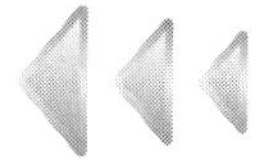

Oさんは、新たに部署異動になり、初めて女性ばかりの職場に替わりました。
今までは男性の多い職場で、周囲が気遣ってくれたのでかなり快適に過ごしてきました。

今回の部署の業務は、社員がそれぞれの担当を任され、現場での経理業務をチェックするというものでした。1人1人の責任もあり、先輩社員もかなり忙しそうでした。
Oさんは勤続年数は長いのですが、初めての仕事内容だったので前任者から引き継ぎを受けながら、一生懸命に新しい仕事を覚えていきました。
周囲の女性はみんな優しく、電話の受け応えで困っているとさりげなく代わってくれるなど、とても親身になって教えてくれました。

ただチームでの一番のベテラン社員、わたなべさんだけはOさんへの対応が少し違っていました。
Oさんは最初に挨拶をしたときからなんとなく気に入られていないという印象を持ったそうです。

その後、毎朝、挨拶をするのですが、彼女だけはいつも「返事なし」、挨拶をまったく返してくれませんでした。
業務でわからないことを聞きたくて声をかけても、まったく目を合わせようとしないで、スルー（無視）されてしまうのです。

わたなべさんは他の社員とはいつも楽しそうに会話をしてい

るので、これはOさんに対してだけなのかなと思っていました。
　それ以外にも、お客様から頂いたお菓子などを所内で配る役目を、彼女が当番の時だけ、必ずOさんの机だけ何も置かずに素通りしていくのです。
　なんと低次元な「いじめ」をするんだろうと思いながらも、Oさんは挨拶や対応など、わたなべさんとも普通に接していました。

　ところが、ある時期から周囲の社員もピタッと私に声をかけなくなりました。なんとか他の社員に話を聞き出してみると、わたなべさんは「Oさんは、他部署から異動してきたばかりなのに、いつもえらそうな態度でいるのよ。すごく嫌だわ。これからは、みんなで口をきかず、無視していきましょう」と周りに言っていたそうです。
　あれほど親切だった周囲の社員も、みんな、わたなべさんのことが怖くて、その言葉に従っているようでした。

　いったいOさんが何をしたっていうんでしょう。それからは毎日、職場で業務以外の会話もほぼなくなってしまい、いつも1人で行動するようになっています。

　そのころから、夜もなかなか寝付けなくなり、体重もだんだん減っていき、風邪や病気になりやすくなっていきました。
　今ではもう、その職場の部屋に入ることも嫌になり、毎日が非常に辛いんです。

②陥りやすいタイプと症状

自分の感情を抑え、周囲にも気遣いをしながらストレスを溜め続ける状態は、Oさんの心身状態をますます不安定にさせていきます。身体的な症状が現れたり、「抑うつ状態」になってしまうかもしれません。

このOさんの場合は職場の問題による「適応障害」の診断になると考えられます。彼女の不調の原因やストレッサーが何かは非常にはっきりしているので、その原因を取り除ければ、かなり早急に不調の症状は改善されていきます。

③goodな対応、badな対応

●goodな対応

リーダーが元気のないOさんにすぐに気づき、話を聞いて、まずは不調の症状を整えるよう配慮しましょう。

男女を問わず、相手を攻撃することで職場での自分の立ち位置を守っていく、あるいは「無視」という武器で相手の気持ちを傷つけるような社員に悩み、相談されることがけっこうあります。

職場がほぼ女性（あるいは男性）だけであることが比較的多いことも、1つの特徴でした。本来は、バランス良く男女がいる職場のほうが健全なのかもしれません。

特に女性に比較的多い傾向として、ストレスをもっとも多く感じる理由の1位は「職場の人間関係」だと言われています。

「いじめ」や不公平性が出ないよう、リーダーは毅然とした対応で平等に解決をはかっていかなくてはなりません。

また、相手を「無視」し続け、周囲にも自分の考えを押し付けるベテラン社員には、そういう態度を取る理由や原因があります。

例えば、今まで業務を行う中で、あまり「褒められた経験」がなかったかもしれません。業務の結果のみが評価され、過程などで評価されることがなくて、辛い思いをしてきていた……。

不満を抱えていたケース、あるいは、自分の仕事に自信がなく、後輩や新人が評価されることへの不安から来る牽制になっていることなどが引き金になっているのかもしれません。

リーダーはベテラン社員のわたなべさんと向き合い、本人の経験や能力の高さを改めて評価したり、声かけをすることで、職場での彼女の言動を変えさせていきましょう。

上司の一言で、「本当は自分に自信がない」という本音が、ベテラン社員の口から出てくるかもしれません。自信のなさが他者への攻撃に向かってしまう傾向もあるようです。

それでも職場の関係性に変化がなければ、その職場の人員配置を変えてみるなど、環境や対応方法を一度シャッフルして新しい風を吹き込んでみることも一計かもしれません。

環境の変化、そして評価基準や褒め方の工夫などで、新しい風が心地よく吹き抜けるような職場に変えていきましょう。

●badな対応

職場で起きている不協和音に気づかず、問題点を放置してしまうことが何より悪化の原因です。そしてOさんのような立場の社員の心身状態が壊れてしまうことになります。お局社員が何も変わらずにいることで、次々と第二、第三のOさんのような症状の人が現れてしまいます。

職場の定着率は極めて低く、社員のモチベーションも上がりません。組織にいるみんなは、どうせ変わらないとあきらめてしまうといった、とても残念な職場になってしまいます。

④リーダーの心得（お節介オバチャンからの一言）

職場の「いじめ」は絶対に許さない。その根絶をしっかりと行いましょう。リーダーのあなたならきっとできます！

お節介オバチャンのカウンセリングの中で、職場で「いじめ」にあっている社員が涙ながらに辛い感情をぶつけてくることが、どれほど多くあったことでしょう！

問題解決こそがリーダーの腕の見せどころ。どんな相談にも親身になって聞く耳を持ってください。爽やかな風が吹き抜ける風通しの良いオフィスは、「いじめ」も事件も起こらない、開かれた明るい健全な職場になっています。

お節介オバチャンのカウンセリングでも、1、2回の面談で改善が見られない事だって多々あります。それだけ職場での問題はその根が深く、複雑なのです。だからこそリーダーと根気よく連携をとりながら、改善を行います。
リーダーの「この問題を絶対に解決させる」「何度も繰り返し行うぞ」という信念と精神こそが大切だと思っていますよ。

POINT

◉リーダーは職場で起きている不協和音に気づかず、問題点を放置することがないよう、Oさんの様子の変化に早めに気づき、話を聞いて、不調の症状を整えるように配慮しましょう。

◉無視をしたり、周囲に自分の考えを押し付けるベテラン社員には、そういう態度を取る理由や原因があります。リーダーは本人と向き合い、本人の経験や能力の高さを改めて評価したり、声かけをすることで、職場での本人の言動を変えるよう変化を促していきましょう。

◉それでも関係性に変化がない場合は、人員配置を変えてみるなど、環境や対応方針を一度シャッフルして風通しの良い明るく健全な職場にしていきましょう。

case16

お客様の無理難題に困り果てのPさん

お客様を順調に増やす営業力があっても、
最初の営業の取り組み姿勢に問題があるため、
その後の対応に次々とトラブルが
起きてしまっている状態。

①具体例

Pさんは営業職2年目でお客様獲得の数が多く、すでに同期と比較すると2倍近くのお客様から契約がとれています。お客様の元へこまめに訪問し、自分の顔を一生懸命に売り込んできた結果だとすごく喜んでいました。

ところが……最初は優しかったお客様も、訪問回数が増えてくると、けっこう無理な要求やお願いを言うようになってきました。自分が売り上げを増やそうと、なんでもお客様の言いなりになっていたからかもしれません。

月末の支払いをお願いしても、毎月平気で遅れるようになったり、振込金額が間違っていたり、最近はその支払いが滞ってしまうことも続くようになって本当に困っています。

このままではいけない、通常の対応に戻さなくてはいけないと焦っていますが、どんなにお願いしても問題を起こしてしまうお客様が多くなってしまい、今はとても苦しい状態です。

②陥りやすいタイプと症状

Pさんは営業の仕事を行う中で、お客様との関係から強いストレスを感じています。お客様との関係を壊したくない気持ちが強く、できないことやお願いしたいことが、はっきりと自分の口で言えなくなってしまっています。

仕事とお客様のあいだでそうとうな我慢を重ねているため、今の心身状態はかなり悪くなっており、「適応障害」の症状が少しずつ出始めているようです。

③goodな対応、badな対応

●goodな対応

職場でのPさんの行動の変化（浮かない顔、集中できない様子、電話対応での困った様子）に対して、リーダーから声かけをすることです。その一声が彼の落ち込んだ心を救ってくれます。

営業会議などでの報告では、悩んでいることや相談したいことも、実は口に出していないのかもしれません。報告だけを聞いて、実地指導などはしていなかったのではないでしょうか。

例えば……。

1. 営業2年目、仕事にも慣れているので、新人の頃のような同行指導は最近はしていなかったのではないか。

2. Pさんの営業活動エリアではどういうお客様がいるのか、新規のお客様の傾向はどのようなものなのかを把握していなかったのではないか。

リーダーは、Pさんの業務報告を聞いただけですべてを把握していたように思っていたことを素直に「反省している」ことを話し、今後はどんなに忙しくても早めに時間を取って実際の本音を聞き出していくことです。

Pさんの悩みを聞くだけで、この問題の8割以上は解決していきます。

そしてリーダーの経験値に基づいて、無理な要求をしてくるお客様への対応についての対応策を一緒に考えながら、回答へと導いていきましょう。

断り方が上手な営業こそが、さらに良いお客様を増やすことになります。
今の仕事ぶりでは、良いお客様への対応を疎かにして、悪いお客様への対応に奔走してしまっていることに気づくことで、仕事への姿勢も変わります。

「Pさんは一生懸命に頑張ってきたけれど、その方法で進めてきたために問題や悩みも出てきているかもしれない。それを解決していくことで、お客様とも対等な立場で仕事ができてくるんだと思うよ」

できるリーダーの頼もしい声かけで、すっかりしおれたPさんの心も、すぐにピーンとしなやかによみがえってきます。

●badな対応

Pさんの心の叫びに気づかず、または気づかないふりをして放置してしまうことです。自分1人で乗り越えていくには限界があります。
また、真の意味での「成功体験」がないPさんにとって、抱えきれない問題となって、心身状態を壊してしまう原因にもなります。

④リーダーの心得（お節介オバチャンからの一言）

お客様が話す要望をすべて叶えることはできません。その線引きを、断り上手な営業社員は実にそつなく行います。

でも大半は、言われたことに戸惑い、自分だけでなんとかしようとして、さらに問題を大きくしていってしまうのです。

オバチャンの初回面談では、相手との信頼関係は築けますが、正直、業務の深い実状や本音を聞けるのはなかなかむずかしいと思っています。でも限界までストレスを溜めてしまっていることは、相手の表情･態度･言動ですぐに見抜くことができます。

そして部下の窮状を伝えて、解決をしてもらうようリーダーに引き継いできました。

リーダーであるあなたは、日々接している部下なので、その変化や状況はもっとよくわかってあげられると思いますよ。

頼もしきリーダーの出番です。若手社員の救世主は、リーダーである「あなた」しかいませんよ！

POINT

◉職場でのPさんの行動の変化（浮かない顔・集中できない様子、電話対応での困った様子）を察知したら、早めにリーダーから声をかけて、まずはPさんの悩みや本音をじっくり聞き、お客様への対応についての対応策を一緒に考えながら解決へと導いていきましょう。

case17

ジェネレーション ギャップに悩む Qさん

新人の理解しがたい言動に
どう対応すればよいのか？
新人の教育係の先輩社員は、
毎年新人対応に悩みが増えている状態。

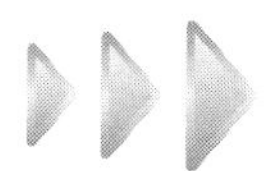

①具体例

入社10年目、今年も新入社員が入ってきました。毎年、新人の指導役を任されているQさんですが、実は20代の若手社員の対応に、少しずつ自分とのギャップを感じるようになりました。

頼んだ仕事はしっかりできるのですが、最近は、新人の個性の強さにとても戸惑うことがあります。
例えば、共通の仕事を任されると、他の人に干渉されたくない、みんなで一緒に行動することを好まない、定時になるといつの間にかスーッと消えてしまう……。こういった問題への対策に、とても悩まされたこともありました。

教えた仕事を任せると、わからないことがあっても一切質問をしてこない、心配して声をかけても「大丈夫です」の一点張りだったりします。

しかし実際は、その陰で新人は1人で悩んでしまい、結局どうにもならなくなって大きな問題になってしまう。そうなってしまっても「周りに迷惑をかけたくなかったから」などの言い訳ばかりの新人もいました。

辛抱強く面倒を見ているつもりですが、どうしても「最近の若者は何を考えているのかわからない……」と思ってしまいます。それでも先輩社員として新人のメンターをしなければならないのですが、今年もそうかと思うと、実際に自分がおかしくなってしまうのではないかと不安な気持ちでいっぱいです。

②陥りやすいタイプと症状

Qさんは非常に真面目なメンター（先輩指導役）として後輩である新入社員と向き合い、社会人としての基本を職場内で指導してきました。ところが年々自分たちの世代ではありえなかった言動や対応に戸惑っているのです。

最近の新人の気質としては特にみんなで一緒に行動するよりも、個人での行動を好む傾向が少々高いかもしれません。つまり強制ととらえてしまう集団行動を極端に嫌うのです。

Qさんには過去の後輩の育成時にだいぶしんどい思いをしてきた経緯もあり、今年もそうなのかという後輩指導への不安があり、少々トラウマ症状になっています。

③goodな対応、badな対応

●goodな対応

新人の指導を毎年受け持ち、その対応に戸惑っているQさんから、新人を迎える前に一度、今までの経緯をじっくり聞き取る必要があります。

メンター研修などで人事部が研修を行っているところも多いと思いますが、リーダーは、より具体的な新人の指導方法の検討や、どういう目標を持って彼らの成長を見守る必要があるかなどの体制作りを行いましょう。

先輩として、新人のために毎年頑張って指導してきたQさんをたくさん褒めてあげてください。悩みながらも一生懸命に考えながら、新人に社会性を伝えてきた功労・成果は、なんと大きくて素晴らしいものでしょう。

その上で、「今年はもう無理しなくてもいいですよ。十分頑張ってきたのですから、Qさんの仕事を代わりにやってもらえる後輩に託してもいいんですよ」と確認してほしいのです。

これにQさんはどう答えるのか？「いえ、もう1年だけ頑張ってみます」と言ってくれたら、Qさん1人に指導させるのではなく、周囲のみんなが気軽に声をかけられるような環境にしていくことを約束しましょう。

また、「そうですね。今年は私以外の人にお願いしてもいいですか？」とQさんが答えたのであれば、適任者を一緒に選び、新しいメンターに本人がしっかり引き継ぎができる体制を作ってあげること。

Qさん自身、引き継ぎにかなり熱心さが加わるでしょうし、当面は2人体制で新人教育に取り組んでもらえることでしょう。

今時の新人さんたちも安心して、この職場でますます鍛えられ、成長していくことでしょうね。

●badな対応

毎年のQさんの仕事の1つだと、安易に頼んでそのまま任せきりにしてしまうことです。職場の雰囲気も、Qさん1人に対応を依頼して全員指導の気持ちが薄れてしまっていると、Qさんのストレスもピークに達してしまいます。

また、もしも少々問題のあるタイプが入ってきたとしたら、Qさんはギブアップ、あるいは途中交代などがあるかもしれないですね。大きな問題となってしまってからでは遅いのです。

先輩が突然いなくなってしまった新入社員はどうしていいのかわからずに悲鳴をあげてしまいますよ！

④リーダーの心得（お節介オバチャンからの一言）

新人であっても先輩社員であっても、新しい職場環境に慣れるまでにはそうとうなストレスや負荷がかかっています。社会人1年生には、職場全体で育てていく気持ちをリーダーが話し、自ら率先していくことで、組織の空気感は劇的に変わります。

お節介オバチャンの元には、手に負えない新人を抱えた先輩からも、突然メンターを失った新人からも多くのSOSが入ります。でも、SOSが入るうちはまだまだ解決の余地はたくさんあり、早速リーダーと一緒に問題解決へと乗り出していけますよ。

誰でもみんな最初は新人だったのですから、リーダー自らが、部下を育てることへの「率先垂範」を心がけることで、新人教育はスムーズに行っていけるのです。

POINT

◉リーダーは、新人を迎える前に、Qさんにこれまでの後輩指導の経験を通して不安に感じていることはないかじっくり話を聞き、これまでの功績を褒めてあげましょう。

◉リーダーは、より具体的な新人の指導方針を立て、彼らの成長を見守る体制作りをしましょう。

case18

好きな仕事しかしなくなったRさん

所員全員で業務を共有してきた
事務所のルーティンワーク。
しかし、ベテラン社員が自分の得意業務しか
やらなくなったために、
職場全体の均衡が崩れている状態。

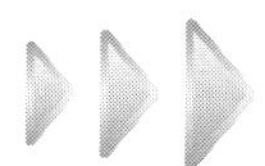

①具体例

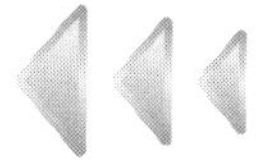

営業所の仕事は、所内の全員が業務の全体を覚えておくようにしていました。内勤社員の全員がどんな内容でも実際に行えるようにと、ジョブローテーションとして「経理・接客・営業事務」など、一通りの業務を覚えるようにしてきました。

入社したばかりの新人社員も時間をかけて、所内の業務全般を覚えるようにしていきました。つまり誰か1人が休みなどで抜けても、フォローし合える体制になっていたのです。

Rさんも中堅社員として、同じような業務を行ってきました。

お客様が来社すると、とても親しみのある対応をするので非常に人気があり、Rさん目当てに来るお客様がいるほどです。また、営業社員が必要とする書類なども手際よく作成でき、「早くて正確だ」と感謝されています。

ただ「経理業務」については、そうとう数字に弱いようで、いつまで経っても覚えることができず、提出書類は間違っていることが多いのです。経理についてはまったくお手上げな状態で、かなり苦手なようでした。

そのRさんの苦手意識が、いつしか「経理の仕事はできれば避けたい」から「来客対応だけしていればいいのではないか」「苦手な仕事は他の人にやってもらおう」という考えに変わり、その通りにしてしまったのです。

それで、経理業務は新入社員に固定されてしまい、結局あとの2つの仕事もなかなか覚えられなくなりました。

また当時Rさんのやっていた業務については、他の人への引き継ぎをまったくしようとしません。

本人が次の日に休むとその仕事は誰もできないため、営業所の仕事はいつしかうまく稼働することができなくなってしまいました。

Rさん以外の社員は、仕事全般が覚えられないことの不平不満も、遠慮して言うことができず、職場全体がかなりストレスを溜めている状態です。

②陥りやすいタイプと症状

Rさん1人のわがままな業務対応のため、社員の不平不満度も相当高くなってしまいました。また本人に反対意見も言えない状況にも、組織全体がかなりストレスフルな状態になっています。

また、Rさん自身は苦手なことで周囲に迷惑をかけるよりも得意なことで仕事がしたいことが転じて、「好きなことしかしない」「周囲に迷惑をかけてもかまわなくなっている」など、どんどん問題行動に発展しているのです。また業務面でも極端に数字に弱いのであれば、少々「発達障害」のような要素も含んでいるかもしれません。

実際にRさんの症状を考えていくことも大切ですが、本人が経理の基本を今まで理解してこなかった経緯があるのかもしれません。この事実をしっかりと見極めていきましょう。

③goodな対応、badな対応

●goodな対応

今までのリーダーが、Rさんの言動を容認してきてしまっているのであれば、逆にこれはチャンスととらえて行動しましょう。

まずはRさんと話をして、所内の仕事の取り組み方や思いをゆっくりと聞き出します。そして改めて、全員が業務を覚える必要があり、定期的に仕事をローテーションしながら進めていくことを伝えていきましょう。

Rさんとは、経理業務がどうして苦手になってしまったのか、しかし仕事の一環でもあるので、どうしたらうまくできるようになるのかを一緒に考えていくことです。

例えば……。

1. 電話や来客の声で集中できない場合。書類作成時にのみ、別室の静かな環境で進めるのはどうかなど、代案を考えていきます。

2. また、できなかった箇所はどこか。それは必ず覚えてもらうなど、ミスの原因を一緒に確認します。ベテラン社員になればなるほど、周囲に基本が聞けない状況になっていることも想定され、配慮する必要があるかもしれません。

そして、所内への呼びかけとジョブローテーションがうまく回るよう支援していきましょう。

できていれば「褒める」。ベテランであっても新人であっても、褒められて嬉しくない社員はいません。どんどん褒めて感謝の意を伝えましょう。

逆に内容に誤りを見つけたら、どこを間違えたのかをその場で確認する。リーダーが見守ってくれているという意識が伝われば、それだけで満足感は高まります。

このリーダーの対応が職場を劇的に変えていけるのです。

●badな対応

Rさんのわがままを容認する職場をそのままにしてしまうことです。メンタル不調者や離職者が出る原因になります。

また、問題の多い中堅社員であっても、仕事ができることで何も言わないリーダーがなんと多いことか。一過性の売り上げや利益に繋がったとしても、例えば、社員が入社してもすぐに辞めてしまうなどの、人件費の流出の原因に繋がっていくのです。

正しいリーダーシップがない職場環境はこの場ですぐさま「ストップ」させていきましょう。

④リーダーの心得（お節介オバチャンからの一言）

本来はチームのお手本になるべき社員の問題行動については、リーダーの誰もが指導しにくいものです。

でもそこは、リーダーの「大きな人間力」が試される場でもあります。

歴代のリーダーがベテラン社員の問題行動に見て見ぬふりをしてきた結果、今の現状が、この組織を覆ってしまっています。お節介オバチャンは、巡回で訪れた営業所の朝礼に参加しただけで、組織の雰囲気を察してきました。

そこでRさんの面談をじっくり行うことで、リーダーのお助けをすることもできました。あとは、皆で協力してチームを刷新させていくだけですね。

チームの1人ひとりが満足して仕事に打ち込める仕組みをしっかりと確立していきましょう。

POINT

◉リーダーは、Rさんと話をして、仕事への思いをゆっくりと聞き出します。なぜ苦手な業務ができてしまったのか、どうしたらうまくできるようになるか一緒に考えていきましょう（ベテラン社員になればなるほど、周囲に基本的なことを聞きにくい状況であることも想定されます）。

◉Rさんに、改めて全員が業務を覚える必要があり、定期的に仕事をローテーションしながら進めていくことを伝えていきましょう。

◉できていれば褒める。誤りを見つけたら、その場で確認する。リーダーが見守ってくれているという意識が伝われば、満足感は高まり、職場を劇的に変える糸口になります。

case19

先輩が急に いなくなって しまったSさん

新卒社員の指導係であるメンターが突然不在になり、
不安が増す状態に。代わりのメンターも選任できず、
新人の不安はどうなる？

①具体例

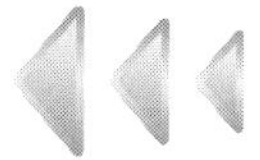

Sさんは新卒入社1年目。4月から研修を受けて、7月に今の部署に配属されました。会社の仕組みや業務など、一通りの知識は新人研修で学んできたつもりでした。

実際の職場に配属されたあとは、メンターとして1人の先輩社員が指導に当たることになっていました。Sさんには2歳年上の佐藤さんがメンターとして紹介されました。とても仕事のできるキャリア志向の女性です。

Sさんはとても頼りになる先輩だと安心しました。

ところが、業務を教えてもらいながらなんとか仕事の細部がわかりだした1か月後、先輩の佐藤さんは、突然上司に「退職届」を出したのです。

聞けば、実家の父親が急に病気になり入院したとのこと。佐藤さんの父親は現在会社を経営しており、「急いで地元に帰ってきてほしい」と言われたそうです。事情が事情なだけに、上司も退職届を受理せざるをえませんでした。

佐藤さんはSさんに謝りました。

「まだ教え始めたばかりのSさんを残していなくなるのは、大変申し訳ないんだけど、親の急病ではこれ以上仕事を続けることができなくて。

メンターの代わりになる人を探してもらっているんだけど、後任がまだ見つからないの。でも人事部にはお願いしてあるので、これから決まると思うから、ごめんなさいね」

今までずっと佐藤さんに頼りっぱなしできていたので、Sさんはものすごくショックを受けました。「佐藤さん、私のことは気にしないで。大丈夫です。先輩から1か月の指導を受けて、たくさんの仕事を覚えることができました」と答えるのが精一杯でした。

そして、メンターがいなくなったあと、今も後任はいません。2か月目になり、自分なりに周囲に聞いていたりしたのですが、繁忙な職場では後回しにされました。細かなデータを作成したり分析できる力はまだなくて、いつも苦労しています。

どうしてもわからないときは、最初のうちはこっそり佐藤さんに電話で聞いたりもしましたが、それももうできません。

最近は、ある先輩からしょっちゅう叱られるようになりました。
「Sさんの書類提出が遅いので、納期に間に合わなかったじゃないか」
「もう3か月経っているんだから、仕事のことはだいたい覚えたんじゃないのか。しっかりしてくれ」
などなど。

仕事の基礎がまだ覚えきれていなくて、他の先輩に聞いている立場なのに、と悲しい気持ちでいっぱいです。このままの状態が続くと思うとすっかり落ち込んで、毎朝会社に行くのが辛くてたまりません。

②陥りやすいタイプと症状

社会人としての初めての部署・仲間・上司。そして先輩社員の中で、しっかり学ぶはずだったSさんですが……。

1．指導役の先輩社員が突然いなくなった。

2．後任もいない状態で、仕事を覚えなくてはいけない環境。

3．心ない先輩社員からの指示・要求が続く状態。

これらによってストレスが非常に大きくなり、職場も仕事も辛くなっている状況です。

このままにしておくと「適応障害」の状態になっていくかもしれません。

③goodな対応、badな対応

●goodな対応

リーダーとして、すぐにSさんのSOSを受け止めなくてはなりません。先輩の佐藤さんがいなくなってからも、周囲の社員に聞きながら一生懸命に頑張ってきたことを認め、ねぎらってあげましょう。

また、この3か月でずいぶん成長できていること、なかなかメンターが決まらない状況でも、なんとか仕事ができていることを褒め、今後はどうしてほしいのかをしっかり聞き取り、対策を立てましょう。

もしメンターがすぐに見つからなければ、業務ごとに教わる先輩社員を決めて、職場全体で支援すること。

心ない言動をしている先輩社員への牽制をするとともに、どうしてそういう対応になるのかを考えます。業務の効率化や進め方に問題があるならば、そのことも解決できると、リーダーの役割はさらにパワーアップできると思います。
忙しい職場であればあるほど、新人の成長が急務になります。

優しい協力体制を作っていける原動力になれるかどうかが、リーダーの腕の見せどころなのです。

●badな対応

メンターの代わりを見つけない、先輩社員の協力体制もうまく機能できていない、新人の悩みや問題の解決に向けて積極的に対応しようとしないことです。

新人の心が折れ、休職や離職に繋がってしまうとしたら、なんのために新人を採用したのでしょうか。

どんなベテラン社員であっても、初めは、何もわからなかった新人時代があり、多くの先輩たちに支えてもらって少しずつ成長してきたことをどうぞお忘れなく。

④リーダーの心得（お節介オバチャンからの一言）

ひと昔前の職場であれば、わざわざメンターなど任命しなくても、その職場に配属された新人を周囲の先輩全員が「叱咤激励」することで、何の問題もなく順調に成長していったものでした。しかしながら昨今の業務はスピードも速くなり、さらに仕事量も増えて、後輩の面倒を見る時間も限られてきてしまっているかもしれません。

入社したばかりの新人にとっては「三つ子の魂百まで」と言われるように、新人時代に覚えたり、学んだ経験は一生の宝物になります。

このお話の後日談は、リーダーの采配によって、職場全員がメンターとして指導できたおかげで、Sさんはすくすくと成長していきました。そしてSさんは現在、2年目の頼れる先輩社員としてテキパキと新人を指導しています。

POINT

◉リーダーとして、すぐにSさんのSOSを受け止めましょう。先輩がいなくなってもこれまでよく頑張ってきたこと、ちゃんと成長できていることを褒め、今後の希望をしっかり聞き、対策を立てましょう。

◉職場全体でもSさんを支援できるよう、心ない言動をしている先輩社員がいれば指導しながら、優しく協力しあえる体制を作り、新人の悩みや問題解決に対応できるようにしましょう。

◉みんな誰でも、新人時代を多くの先輩たちに支えてもらって成長してきたことを忘れないように、全員が新人を育てる心を伝えていきましょう。

case 20

賭け事のめり込み症のTさん

若いころは真面目一筋だったのに、
気づけばギャンブルにはまっている状態。
問題を背負っているという現実から
逃避をするために、パチンコにのめり込むことに。

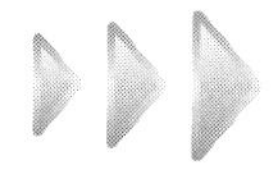

①具体例

Tさんは、若いころは、パチンコなどのギャンブルにはほとんど興味がなく、仕事一筋で、家庭の時間も大事にして過ごしてきました。

それがいつのころからか、気づけばパチンコ通いがすっかり日課のようになり、賭け事が大好きになってしまっていました。

そして家族とゆっくり過ごしていた休日の大半を、今では終日パチンコ店で過ごすようにもなっていました。

そうなったのは、仕事のストレスが大きかったからか、または単身での転勤になって、しばらく家族と離れていた寂しさがあったからなのか、自分でもよくわかりません。

そして気づけば、パチンコで負けるたびに悔しくなり、さらにお金をどんどんつぎ込んでいくようになりました。そのうちに毎月の小遣いの金額ではとうてい足りなくなって、実は消費者金融からもこっそりお金を借りている状態です……。

「このままでは絶対にいけない」と頭ではわかっていますが……自分1人では、どうにも止めることができないのです。

今は単身生活から戻って、一緒に暮らす妻や子供にも平気でうそをついてパチンコに出かけるようになったりと、家族との関係も良くありません。会社でも、だんだん仕事に集中することができなくなっています。消費者金融から借りたお金の催促もくるようになってしまいました。

自分自身で行動を止められない状態で、どうしていいかわかりません。

②陥りやすいタイプと症状

Tさんのような依存症、例えばアルコールやたばこ、ギャンブルや買い物などへの「依存の問題」は、一見、心身不調がない社員のようにみえてしまいます。しかし実際には、自らが依存症になっているという相談事は、案外多いのです。

それぞれのきっかけや原因はさまざまですが、何年も続いてしまっているようであれば、これは治療の対象になります。投薬や行動療法などがありますが、グループによる支援など、支えてくれる人たちとの話し合いなどが効果があります。

依存症の中には、双極性障害が根底にあって、「そう状態」のときに依存に走る傾向があるかもしれません。

まずは、メンタル面で医療機関を受診させましょう。

③goodな対応、badな対応

●goodな対応

Tさんの業務中の言動からいつもと違う様子を感じたら、まずは時間を作って話を聞きましょう。仕事以外の内容なので、なかなか言いたがらないかもしれませんが、業務面で気になることがあるという話から悩みを聞き出してください。

特に依存症の期間が長ければ、それだけ金銭面での問題も大きいと思います。会社の産業保健スタッフとも連携し、依存症の克服法などに三者で取り組みましょう。また、家族とも連携を取る必要があるので、本人の承諾のもと、会社と家族の双方でTさんの問題解決を行っていくことが大切です。

またお金の面での解決方法なども、実際にどうやって返済させていけるのか、会社で支援できること、個人で努力していくこと、家族に伝えていくことなどを具体的に話していきます。

まずは、本人に今の状況をしっかりと自覚させ、現実の問題にしっかり直面させるようにしましょう。
起きてしまったことは仕方がありません。今は、これからどうしていくのかを一緒に話し合うリーダーの親身なアドバイスが、とても大切なのです。

リーダーからTさんへ、こんな声がけはどうでしょう。

「起きてしまったことを悔やんでも始まらない。これからは周囲に相談して解決していきましょう。肝心なことは、これからTさんがどうしたらギャンブル依存から克服できるかなのです。

一緒に考えていきましょう。今までは1人で悩んできたけれど、私に相談してくれたからには、医療担当者やご家族と一緒に対応策を考えることで前に進めます。まず、Tさんはどうしたらいいと思いますか？」

本人に自覚を持たせ抑制するための対策を考えさせて、叱咤激励するリーダーでありたいですね。

●badな対応

Tさんの悩みに気づかずに放置することです。金策に困った本人が「使い込み」などの問題を起こしたり、どうにもできない自分を責めて、メンタル不調や安易な自傷行為や希死念慮（死にたいと願うこと）などの行為に走ってしまう危険性もあります。

金銭面や問題行動が、どうにもならないくらいにひどくなってからでは遅いのです。

リーダーのほんのちょっとの「一声」が、1人で悩むTさんを救う大事な言葉になります。

④リーダーの心得
（お節介オバチャンからの一言）

部下への対応もそれぞれの個性によって変える必要があります。リーダーの采配で社員をうまく導くことは、なかなかやりがいもあり、また苦労も多いと思います。

普段は元気でなんの問題もない社員が、少しずつ変わっていく場合もあるかもしれません。仕事面では問題がなくても、プライベートで問題を抱えていると、いつしか会社での行動にも変化が出てきます。

不安定な感情面を隠しながら我慢していると、いつしかその気持ちが爆発してしまうかもしれません。
感情にはコップのように一定の容量があり、ずっとその水を溜めていってしまうと、いつしかコップからあふれてしまうという例えで表現されます。

感情の水がコップからあふれ出してしまう前に、賢いリーダーは小出しに話を聞いてしまいます。するとあんなに大きかった問題も、人に話すだけで少しずつ小さくなっていくと感じていきます。

「相手の立場を理解し、同じ目線で話を聞き取る」気持ちがあれば、とても素直に心を開いてくれるのです。

「あなたがリーダーでいてくれて、本当に良かった！」

実際に病気の克服はなかなか難しいかもしれませんが、非常に気持ちが沈み込んでいた部下にとって、リーダーの差し出す優しい救いの手は、心からの感謝につながっていくはずです。必ず部下の問題を克服し、解決を行っていきましょう。

リーダーの皆様を、心から応援しています！

POINT

◉Tさんの言動からいつもと違う様子を感じたら、まずは時間を作って話を聞きましょう。仕事以外の悩みはなかなか言いたがらないかもしれないので、業務面から話を始め徐々に聞き出すようにしましょう。

◉本人に今の状況をしっかり自覚させ、抑制するための対策を考えさせ、叱咤激励しながら改善へのサポートをしましょう。

◉依存症の期間が長ければ、それだけ金銭面でも問題は大きくなります。会社の産業保健スタッフとも連携し依存症の克服に3者で取り組みましょう。本人の承諾のもと、家族とも連携を取り、会社と家族の双方でTさんの問題解決にあたりましょう。

ATOGAKI

あとがき

この本を作成したのは、「産業カウンセラーが**今まで実際に経験してきた事例と、それを1つずつ解決してきた過程をとりまとめたい。そして多くの管理者に実践してもらいたい**」そんな思いがきっかけです。

私が産業カウンセラーとしての経験を積んだ20年間は、安定した大手運輸会社を飛び出し、さまざまな実践経験を積み、最後に入社した会社組織の中で「健康相談センター」を初めて立ち上げるなど、まさに挑戦の連続でした。

本社の管理職として「全社員の心身の健康をどう守っていくか」を数多くの事例と向き合いながら、日々その解決策をコツコツと実践してまいりました。

自殺や退職者を減らそう、メンタル不調者を失くそうと葛藤しながら向きあった日々もあり、その結果12年目にして、**3,000名の社員のうち、300名以上いたメンタル不調者をわずか4名まで減らすことができたのです。**

我ながら、いや、お節介オバチャンながらこの数字は「すごいな」と今でも誇りに思っています。こんな私のお気楽な楽観性が**「到底、無理だと思っていたことを実現できる」**ことに変えられたのではと思っています。

その経験をすべて、この1冊に込めたつもりです。

お節介オバチャンの葛藤の様子は厚労省のHP「こころの耳」にも掲載されています。

● https://kokoro.mhlw.go.jp/case/company/cmp039/

管理職の皆様に、最後にお伝えしたいこと。

リーダーの仕事は、明るく楽しく元気な職場づくりである。

東北の一人の若手管理者が、部下を信じ一人ひとりを大切に守っていく心意気はピンチの環境をチャンスの機会に変える原動力になりました。

現在は、関連会社の社長として活躍されている彼ですが、本当に辛かったときは、お節介オバチャンにかけてきた電話口で初めて、「泣く」ことができました。

ずっと我慢してきた本音を話し「泣いた」たときは、とても心が軽くなったことと思います。そして現場のリーダーである所長たちとの深い信頼感が持てた「健康相談センター」での経験と関係性の絆は、今でも強く残っています。

組織のリーダーは部下にとって**「頼もしく、心強く、元気で、何歩も先を行く先駆者であってほしい」**のです。そして時には部下の前で本当の自分を表現できることも、また大切なことだと思っています。

全員面談の目的は、個々の社員を元気にすることが基本ですが、実は、**「管理者の皆様に、普段他の人に言えない本音を話してもらい、「共感的理解」が心地よいことを体験してもらう」**ことでした。

部下が面談を通して元気になったことをきっかけに、自分自身も思いを話せる管理者が増え、全国に広がっていく過程を経験したからこその思いです。

実際に起きている事例は千差万別であり、この20の事例には収まらない種類のものもあります。ここで挙げる事例は、あくまでもベーシックなものです。

ここから先は、みなさまご自身で「応用編」を作っていくことが必要になります。

事例を活かした自分なりの解決法を編み出していきましょう。

次の課題をまとめるのは、「あなたの役目」になります。

そして解決できたときには、ぜひ教えてくださいね！

最後に、この本の出版にあたり、数多くの関係者の皆様には心から深く感謝いたします。本当にありがとうございました。

そして管理者の皆様に少しでもお役に立ちますように！

2021年 6月　　渡部　富美子

渡部　富美子（わたなべ　ふみこ）

相聞コンチェルト代表

1961年生まれ。大学卒業後、ヤマト運輸（株）に入社。
社員教育を行い、全国に接遇インストラクターを300名養成。その後、産業カウンセラー、及び、キャリアコンサルタント資格を取得。様々なカウンセリング業務を経験。（株）レンタルのニッケン本社にて「健康相談センター」を立ち上げプロジェクトを遂行。「全員面談」を提案し10年で全国300か所以上の営業所に出張、巡回。約3,000名の社員とカウンセリングを実施する中で、一人で現場に行って、全員の話を聞く「面白い存在」として親しまれるようになり、カウンセラーでありながら、別名「お節介オバチャン」として組織と社員との架け橋の役目を行う。12年目で300名以上もいたメンタル不調者をわずか4名までに減少。その後、独立し、健康経営アドバイザー、EAPを自社で実施する仕組み作りを企業に指導中。カウンセリング実施5,000名、研修及び講演600回以上。
2020年よりホンマルラジオパーソナリティ「相聞さ〜んちょっと聴いて」番組担当。

掲載記事
- （社）労働政策研究・研修機構「ビジネスレイバートレンド」
- 中央労働災害防止協会「安全と健康」
- JA金融法務「メンタルヘルスケア」
- （株）ウインフロンティア「COCOLOLOライフマガジン」
- 産業カウンセラー協会　全国及び東関東支部月刊誌

各種リンク

HP
http://somon.cafe/

厚労省HP
https://kokoro.mhlw.go.jp/case/company/cmp039/

ホンマルラジオ番組
https://honmaru-radio.com/category/soumonsan/

装丁／横田和巳（光雅）
切り絵／杉谷知子
イラストレーション／飯田裕子
制作／ a.iil《伊藤 彩香》
校正協力／新名哲明・大江奈保子
編集／阿部由紀子

お節介オバチャンの
“職場のシンドイ”一刀両断!!

初版1刷発行 ● 2021年6月15日

著者
渡部(わたなべ) 富美子(ふみこ)

発行者
小田 実紀

発行所
株式会社Clover出版
〒101-0051 東京都千代田区神田神保町3丁目27番地8 三輪ビル5階
Tel.03(6910)0605 Fax.03(6910)0606 http://cloverpub.jp

印刷所
日経印刷株式会社

ISBN978-4-86734-022-6 C0030